今からでも
遅くない！

自分の芯をつくる学び

齋藤孝

世界文化社

本書に登場する個人や団体、作品名などの記述、記録、賞歴などは、
2021年3月15日時点のものです。

はじめに

「自分の芯を持っている人」と聞いて、皆さんはどんな人を想像しますか？

単純に「知識が豊富な人」というのとは、ちょっと違う気がします。それよりも、自分に自信を持ち、独自の意見を主張できたり、他人に流されずに行動できたりする人が「自分の芯を持っている人」のイメージに近いのではないでしょうか。

自分の芯をつくることとは、「自分のアイデンティティを確立すること」と言い換えてもよいでしょう。

アイデンティティは日本語で「存在証明」と訳されたりもする言葉であり、アメリカの精神分析学者である**エリク・H・エリクソン**[★1]という人が広めた概念です。その人の存在を証明する証明書のようなもの、と考えるとわかりやすいと思います。

社会で生きていく上では、周りの人から「あなたは何者ですか？」と問われたとき、き

★1 エリク・H・エリクソン
(1902-1994) 発達心理学者で精神分析家。米国で最も影響力のあった精神分析家の一人。
(PD-US)

ちんと自分の証明書を提示できる状態にしておくことが重要です。

自分を証明できる確かな材料がある、つまり「これが私の芯だ」と思えるものがあると、自信が湧き上がってくるような感覚が得られます。自分の芯が周囲の人から認められると、自信はさらに強固なものとなります。

本書を通じて読者の皆さんに獲得してほしいのは、こういった強固な自信にほかなりません。

私には、学びによって自分の芯を形成し、自信をつけてきたという自負があります。そこで本書では、私がこれまで実践してきた、そして今も実践している「芯をつくるための具体的な学び」を紹介していきたいと思います。

さて、一言で「学ぶ」と言っても、人によって学びのスタンスには違いがあります。学びのスタンスは大きく以下の三つに分類されます。

一つめは、「ただの趣味として学ぶ」というスタンス。ただ読書をするのが好きな人、資格試験をたくさん受けて取得した資格が増えていくのが純粋に楽しい人などがここに分類されます。

二つめは、「学歴や収入に直結するから学ぶ」というスタンス。「英語を勉強すれば転職に有利になる」「経済を勉強すれば出世できる」のように、学び自体は楽しくなくても実利を求めて取り組む人が相当します。

そして、三つめは「人として成長するために学ぶ」というスタンスです。

ここには「すぐに気分が落ち込みがちなので、もっと強いメンタルを持ちたい」という学びも含まれますし、「人間が生きる意味について追求したい」という学びも含まれます。

要するに、現実に自分が悩んでいる問題について何かしらの手がかりや答えを導くこと、それによって人として一回りも二回りも大きくなったと実感できるような学び全般を意味しています。

本書が扱うのは、この三つめの学びです。

今、学んでいる内容が自分にとって有益であり、自分の成長につながっているという手ごたえがあれば、人は学びに対して前向きになることができます。

ただし、学びの手ごたえは、すぐに実感できる場合と時間をかけて実感できる場合の2パターンがあります。

「昨日読んだ本の内容を実践したら、今日すぐに結果が出た」

このように、すぐに手ごたえを実感できる学びは、自信やモチベーションにつながりやすいというメリットがあります。ただ、すぐに表れる代わりに効果は限定的です。たとえるなら、クリニックで処方された西洋式の風邪薬のようなもの。すぐに効き目があり、風邪が治ったら役割は終了、というイメージです。

これに対して、1年や2年、あるいはそれ以上の長い時間をかけてじっくり自分の成長につなげる学びもあります。

この種の学びは、1日2日行ったところでこれといった変化は感じられません。けれども、継続して取り組むことで、少しずつ自分を高みへと連れて行ってくれます。たとえるなら、毎日飲み続けて長期的に体質を改善する漢方薬のようなものです。

風邪薬タイプの学びと漢方薬タイプの学び。どちらがいい・悪いではなく、どちらも重要であり、両面から取り組んでいく必要があります。

本書でも、すぐにできる学びから、高度で深い学びまで「自分の芯をつくる学び」について多方面から解説していくつもりです。

皆さんが、本書に紹介する学びを実践し、素晴らしい人生を歩まれることを心から願っています。

２０２１年３月

齋藤　孝

自分の芯をつくる学び○目次

第1章

「学び」は自分の芯をつくる最高の手段である……13

第2章

自分の芯をつくるためのインプット

第3章 アウトプットが自分を変える ……81

第4章 読書が自分の芯をつくる ……131

第1章

「学び」は自分の芯をつくる最高の手段である

Method 1

学んだら、すぐにやってみる

本書で真っ先に強調したいのは、学んだ知識を素早く実践することの大切さです。

私は先日、1000人の高校生を相手にオンラインで講演会を行う機会がありました。その冒頭で、生徒たちに向けて次のようにアドバイスをしました。

「先生や友だちの話を聞くときには、うなずくことを意識してみましょう。今から、私の話に思い切りうなずいたり、拍手をしたりしながら聞いてくださいね」

パソコンの画面を通して、私には生徒たちの顔が小さく見えています。1000人いても、それぞれの表情の違いはわかります。

話を聞いていないのか、「一人くらいやらなくても別に大丈夫」と思っているのか、まったく無反応の生徒がいます。

一方、私の話にすぐに反応して、大きくうなずいてくれる生徒もいます。すかさず、そういった生徒の一人を指名して褒《ほ》めました。

「2年C組の右から4列目、前から2番目の君! いいうなずきだね、素晴らしい! ぜひみんなのお手本となるように、もう1回大きくやってみてください」

その生徒が大きくうなずく様子を見て、他の生徒たちも「なるほど。溌剌《はつらつ》としていて、いいリアクションだな」と感じとってくれたようです。最終的には、参加者全員にきちんとうなずいてもらうことができました。

私が高校生に伝えたかったのは、**何かを学んだら、スルーせずにとにかくすぐにやってみることの大切さ**でした。

「学んだら実践する」は、スポーツを習得するケースで考えると理解しやすいと思います。

例えば、テニススクールで先生からイチからラケットの振り方を教えてもらって、目の前にボールをトスしてもらったとしましょう。

この状況でただ突っ立っている人はいないと思います。きっと誰もがラケットを振ってボールを打ち返すはずです。重要なのは、最初からきれいに打ち返せるかどうかではなく、とにかくボールを打ち返すことなのです。

スポーツのテクニックは学んだら素直に実践できるのに、授業や本などを通して学んだことはなぜか実践しなくてもいいという思い込みがあります。この思い込みに問題があります。

どんな知識であっても、実践できそうなものは、とにかく実践してみてください。

例えば、「人の話を聞くときにはメモを取ったほうがいい」と聞いたら、その瞬間から紙を取り出してメモを取る。

世の中の人の大半は「メモを取りましょう」とアドバイスされても、行動に移しません。このくらいの意気込みがほしいところです。

逆に言えば、すぐに実践するだけで、他人と大きく差を付けることができます。

学んだらすぐに実践する。これは自分の芯をつくる、基本中の基本なのです。

Method 2

ビフォー・アフターを確認する

日常生活に関わる分野では、すぐに試しやすいワザがテレビやネットで日々たくさん公開されています。

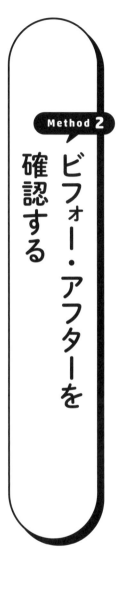

「□□をすると肩こりを解消できます」
「○○を使うと料理の手間が省けて時短ができます」

普通に過ごしているだけでも、そういった情報を毎日のように目にするはずです。コツを知ったら、とにかくすぐに試してみましょう。実験精神を持って、実際に効果があるのかを検証してみるのです。

私自身、新しい健康法や健康食品を知ったときには、とりあえず一度は試してみるのをルール化しています。

例えば、あるときテレビを見ていたら、一人のお医者さんが「背伸びをすると体の姿勢が良くなって体の痛みが解消する」と話していました。そのときは、話を聞いた瞬間から先生の真似をしてテレビの前で背伸びをしました。

また別の先生は、スマホ首（ストレートネック）の解消法として「首を上に上げる」動作を取るようアドバイスしていました。

スマホ首とは、本来カーブしていなければならない頸椎《けいつい》が真っ直ぐになり、椎間板《ついかんばん》に負担がかかっている症状のことです。私は、すぐさま首を上に上げるだけでなく、その先生が書いた本を即注文して手に入れました。

結論は「首を上げましょう」ですから、あえて本を買って読み返さなくてもいいのでは、と思われるかもしれません。

けれども、本を買う行為には大いに意味があります。第一に、お金を投じることで「本まで買ったのだから本気で取り組もう」というスイッチが入ります。そして、本棚にその本を置いておくと、目にした瞬間に「そうだ、首を上げることが大事だったんだ」というリマインド効果が働きます。

つまり、**本を買ったときのほうが学んだ行動を習慣化しやすい**のです。

今では、サウナで1日の疲れをリセットするときにも、上を向いて首のコリを解消するのが当たり前の習慣になっています。

首が前傾していたときには暗い気分になりがちだったのが、上向きにしただけで明るい気分になるというのも大きな発見でした。

ところで、**学んだ知識を実践していくときのコツは、「ビフォー・アフターを必ず確認する」ということ**です。

「取り組む以前は○○だった」（ビフォー）

↓

「□□を実践した」

↓

「結果として☆☆になった」（アフター）

ビフォー・アフターを意識すると、成果に対して敏感になります。成果があった実践は

習慣化しやすくなるのです。

成果を実感すると、さらに日常的な学びに対して積極的に取り組もうとする好循環が生まれます。

例えば、「エジソンやアインシュタインはメモ魔だった」という記述を読んだとします。すると、「メモを取ることで何らかの知的な発見が得られたのかもしれない」という推測が成り立ちます。

そこで「とりあえず1週間だけでもメモを取って何か変化があるか確認してみよう」と考えて実践します。実践してビフォー・アフターを確認すれば、効果があるものだけを選択的に習慣化できるというわけです。

Method 3

実践したら人生が変わる

私の周囲を見ても、学んだ知識を素直に実践している人は、たいてい人生を楽しそうに生きています。

例えば、教え子の一人に、今まで女性と交際した経験がないという男子学生がいました。その学生は、自分の見た目に自信がなく、女性と上手にコミュニケーションができないという悩みを抱えていました。

彼によると、気になる女子学生がおり、思い切ってアプローチしたことがあったそうです。その女子学生が熱心に英語を勉強していると知り、英語でひたすら話しかけたところ、気持ち悪がられてかえって敬遠されてしまったというのです。

そこで私は、彼に一つだけアドバイスをしました。

「難しいことは考えなくていいから、とりあえず上機嫌でいなさい。上機嫌になれば、異性関係だけでなく、物事すべてがうまく回って運が向いてくるから。私も若い頃はいろいろ苦労したけど、上機嫌になってから楽しい毎日を過ごしているよ」

後日、上気した面持ちの彼から嬉しい報告を聞きました。

それによると、彼は私のアドバイスを受けた直後、ある出会いイベントに参加したといいます。イベントの参加者は、女性5人と男性7人。一対一で10分ずつ話す機会があり、最後に気に入った人をそれぞれ3名ずつ指名して、マッチングすれば連絡先が交換できるというルールです。

そこで彼はなんと、指名した3人全員と連絡先を交換できたというのです。つまり、男性7人中一番人気だったということになります。つい先日まで、「全然モテない」と悩んでいたのと同一人物とは思えないくらいの変貌《へんぼう》ぶりです。

彼は私にこう語ってくれました。

「常に上機嫌を意識して会話をしていたら、こういう結果になりました。他に変えたところはないので、明らかに上機嫌になったおかげです。素晴らしいアドバイスをありがとうございました」

実を言うと、「上機嫌になる」というのはちょっと抽象的なアドバイスです。人によっては「具体的にどうすればいいの？」と迷ってしまうかもしれません。

けれども彼が素晴らしかったのは、あれこれ考えすぎず、自分の考える「上機嫌」をとりあえず実践してみたことです。

繰り返しますが、大切なのはあくまでも学んだら素直に実践してみること。**最悪なのは、せっかく学んだのに何かと理由をつけて行動しないこと**です。

少なくとも「上機嫌」を意識するだけで周囲の反応は変わります。ですから、皆さんもあれこれ考えずに自分なりの「上機嫌」を実践していただきたいのです。

Method 4

失敗経験を生かそう

もちろん、ときには学んだことを実践した結果、痛い目を見るケースもあるでしょう。

しかし、ちょっとした失敗は貴重な経験であり、失敗する過程を経て、人はよりよい行動を選択できるようになります。

一例を挙げましょう。

私は健康法の類いだけでなく、ビタミン剤やサプリメントも「良さそう」と思ったものは次から次に飲んでみることにしています。

あるとき医師から、ある栄養素が体にいいとすすめられ、早速サプリを手に入れました。それまで私は、手の先が冷たくなり疲労を感じることがありました。特に、生放送のテレビ番組に出演するときなどにその傾向が顕著に表れました。どうやら、交感神経が優位になりすぎ、脳に血流が集中してしまうのか、手先の血行が滞ってしまうようなのです。

そこで入手したサプリを飲んだところ、手先が温かくなり、それが長時間続くのを感じました。

けれども、効果に感心していたのはつかの間で、しばらくすると腕が赤くなり、かゆみを伴って2~3日続くという症状に悩まされました。この症状を「フラッシュ」というのだそうです。

そのときは「変なサプリを飲んでしまったな」と後悔しました。

その後よくよく調べてみると、「フラッシュフリー」と表示されたサプリが販売されているのを知りました。フリーのサプリはフラッシュが起きにくいと説明されています。

そこで、早速フリーのサプリを入手し、服用してみました。すると、「手先が温まる」という良い効果だけが表れ、フラッシュの症状は出ませんでした。こういった試行錯誤を経て、今はそのサプリを定期的に服用しています。

要するに、**大切なのは自分に合うものを試しながら見つけていく過程です。**学びの実践で失敗しても、そこまで致命的なダメージとはならないはず。失敗を面白がる気持ちで取り組むくらいでちょうどよいのです。

Method 5

当たり前の物理法則も学びがあるから楽しくなる

さて、学びには、前述したような日常的なコツ以外にも、「教養」に分類されるような知識の習得もあります。

なんということのない日常の風景が、学びをきっかけに明らかに変化する。これこそが教養を身に付ける醍醐味と言えます。

例えば、イタリアの物理学者・天文学者であるガリレオ・ガリレイは、物が自由落下するときの時間は、落下する物の重さによらないという法則（落体の法則）を主張しました。この法則を証明するために、ピサの斜塔の上から重さの異なる大小2つの球を落とし、2つが同時に着地する様子を見せたという逸話が残されています（現在では後世の創作とする説が一般的です）。

時代は下って、1971年に発射されたアポロ15号のデイヴィッド・スコット船長が、月面で重いハンマーと軽い羽根を同時に落とすという実験を行いました。すると、ハンマーと羽根は同時に着地。ガリレオの主張の正しさが、誰の目にも明らかな形で証明された瞬間でした。

ハンマーと羽根が同時に着地するシーンを見れば、どんな人でも「へぇー」と感心はするでしょう。けれども、ガリレオの逸話を知っている人のほうが、きっと感動が大きいはずです。

これは物理の一般常識を知っているだけで、物事を楽しめるようになる一つの例です。

同様に、「ニュートンの運動方程式」を知っている人は、物体を投げたときに、何秒後にその物体がどこにあるかが計算できるという事実を知っています。

天体の運行もニュートンの運動方程式で説明できると知れば、夜空の星の見方もまったく変わったものになるでしょう。

少し大げさに言えば、ニュートンを知らない人は、ニュートン以前の中世に近い世界観の中で生きているようなもの。

一方で、ニュートンの学説について少しでも学んだ経験があれば、現代人として宇宙の常識を共有することができます。

そして、物理の教科書レベルで相対性理論を学べば、「時空のゆがみ」という概念を知り、ますます宇宙についての興味が膨らんできます。

何事も、知識がなければ感動のしようがありません。何かを学び、知識を得るからこそ感動は大きくなります。**私たちは基礎的な教養を身に付けることで、世界の面白さを認識できるようになります。だから、教養を身に付けることには大きな意味があるのです。**

Method 6

何の役に立つのかわからない学びは面白い

「はじめに」でお話しした〝風邪薬タイプの学び〟〝漢方薬タイプの学び〟の分類で言えば、日常的な学びは風邪薬に相当し、教養は漢方薬に相当します。

教養を身に付けるのは、純粋に面白い行為です。何の役に立つのかわからなくても、なぜか学ばずにはいられない。そこに学びの奥深さを感じます。

例えば、職場で上司から「使わなくなったデスクを200メートル先の粗大ゴミ置き場まで運んでおいて」と言われたら、ちょっと嫌な気持ちになると思います。

それをしなければ職場が片付かないこと、職場内で自分が適任であることがわかっていたとしても、重いデスクを抱えて歩くのは面倒な作業です。ついつい、愚痴の一つもこぼしたくなります。

一方で、「お祭りでおみこしを担ぎませんか？」と言われたらどうでしょう。特に私のようなお祭りとおみこしが大好きなタイプは、デスクより重かったとしても、おみこしを担ぐのがまったく苦になりません。

おみこしの面白さは、重いほうが担ぎがいがあり、お祭りの醍醐味が得られるところにあります。

なぜデスクを運ぶのは苦痛なのに、おみこしを担ぐのは快楽になるのか。それは、二つの行為をするときには感覚が切り替わっているからです。

デスクを運ぶとき、私たちは「これを運んだらお給料がもらえる」という資本主義的な感覚で行動しています。

逆に、一銭ももらえないにもかかわらず、私たちはウキウキした感覚でおみこしを担いでいます。フランスの思想家であるジョルジュ・バタイユ★2は、**人間は労働などで生産性を高めることよりも、力や資産を非生産的に使い尽くす消尽（蕩尽《とうじん》）を求めているのだ**という考え方を主張しました。

要するに、私たちはエネルギーを発散させるばかりの、生産性とは無縁の「おみこしを担ぐ」という行為に、大変な快楽を覚える生き物なのです。

実は、教養の学びにもこれと似たようなところがあります。**学ぶ行為には「何の役に立**

★2 **ジョルジュ・アルベール・モリス・ヴィクトール・バタイユ**
(1897-1962) ポスト構造主義に影響を与えた哲学者、思想家。
(PD-US)

つのかはわからないけど、とにかく面白そうだからやる」という側面が確かにあるのです。

例えば、福沢諭吉は『**福翁自伝**』★3という自伝本の中で、オランダ語を学んでいた当時を回想し、次のように記述しています。

> 自分たちより外にこんな苦い薬を能く呑《よ》む者はなかろうという見識で……ただ苦ければもっと呑《の》んでやるというくらいの血気であった。（『福翁自伝』より）

これは「オランダ語のような難しいものを学べるのは自分たちくらい。難しいからこそ、学んでやろうという気持ちだった」という回想です。

現代の私たちは、英語などの外国語を「仕事に役立つから」「国際的に通用する人材になれるから」といった理由で学んでいますが、当時は、オランダ語を学んだからといって何の役に立つのかもよくわかりませんでした。

福沢は、ただ難しい学びができるのは自分たちくらいだから、難しければ難しいほど心が燃えたと語っているのです。

『福翁自伝』には、友だちと遊んだりお酒を飲んだりした記述もありますが、やはり目を

★3 **福翁自伝**（ふくおうじでん）
1899年に時事新報社から刊行。約60年の生涯を口述。日本近代史を知る上でも貴重な文献の一つ。

引くのは福沢諭吉の猛烈な勉強ぶりです。

私たちは、誰もが心の中に、着火すれば勢いよく燃え上がるエネルギーを抱えています。

もちろん、日々の仕事を通じてもエネルギーを燃やしているのですが、それだけでは燃焼しきれないものがあります。

心のエネルギーを燃やしきるために必要な行為が教養の学びである、と私は思います。**何に役立つのかもわからない学びをすることで、心のエネルギーを燃やす感覚を得られたなら、その人は理想的な学びをしていると言える**のです。

Method 7

やらされ感のない学びは快楽である

振り返ってみると、私にとって大学受験の勉強は一種の苦役でした。やっている勉強には意味があるようにも感じられるし、大学に入るために必要だというのも理解している。

けれども、やらされ感が強いことが大きな不満でした。

では、なぜ受験勉強はやらされ感が強かったのか。最大の理由はテストにありました。私にとって、誰かに試される、それもよく知らない大人から上から目線で評価されるというのが非常に不愉快な状況でした。

もっと言うと、テストで評価が付けられて、評価に応じて合格という報酬が与えられるシステムにも不満がありました。

例えば、好きな小説を読んでもテストで評価されることはないですし、報酬が与えられることもありません。ただ、好きな小説を読む行為を通じて人間心理を学び、人として成長ができるかもしれません。そうやって**純粋に好きだから取り組むというのが、本当の学びであり教養なのではないか**と考えていたのです。

私の鬱屈《うっくつ》した思いは、入試が終わったとたんに大爆発しました。そして合格の知らせを受けた直後から「教養合宿」と称する超短期集中型の勉強をスタートさせました。

当時、浪人中だった私は、都内の下宿に一人暮らしをしており、近所には一緒に受験に取り組んだ中学時代からの友人が住んでいました。その友人と二人で、大学入学までに大学で学ぶ基礎的な教養をすべて学び終えてしまおうと計画したのです。

具体的には、大学で学ぶ主だった科目について、それぞれ大学院入試レベルの参考書を買いそろえ、友人と一緒にカードにまとめながら学んでいくというスタイルの学習に取り組みました。

大学入学までの期間は限られていますから、「4日間で社会学を終わらせる」「4日間で心理学を終わらせる」という具合に、超短期集中でスケジュールを組んだのを覚えています。「たった4日で心理学についてどれだけマスターできるの？」と疑問に思うかもしれませんが、何しろ私たちは若くて体力と時間のある浪人生です。1日15時間近く本気で学ぶわけですから、一通りの内容はマスターできました。むしろ、1年かけてゆっくり勉強している人よりも、深く頭に刻み込む効果があったように思います。

あれから40年近くの月日が経過しましたが、今でもあのときの「好きな勉強をやっている」というワクワクした感情、魂が生き返るような圧倒的な解放感は色あせていません。

受験生のときは歴史の勉強が苦痛だったのに、受験が終わった私たちは歴史の本を読むのが楽しくて仕方がありませんでした。

やはり人にとって、**やらされる勉強は苦痛であり、好きでやっている勉強は最高の快楽なのです。**

Method 8

好きなことをとことん追求しよう

好奇心の赴くまま、面白そうな学びを追求する。そんな理想的な生き方をしている人物として、私には真っ先に思い浮かぶ人がいます。所ジョージさんです。

思い返せば、高校生だった頃の私にとって、所さんが出演しているラジオ『**オールナイトニッポン**』[★4]を聴くのは大きな楽しみの一つでした。

この番組には「青春日記」というコーナーがありました。所さんが放送までの1週間を振り返る、いわゆるオープニングトークのコーナーです。

高校生だった私の1週間といえば、学校で授業を受けて、あとは部活をしたり、家で本を読んだりするくらい。ラジオで話したら、毎週たいして代わり映えのしないトークになりそうです。

しかし、所さんの1週間は違います。毎週新しいエピソードがあって、そのどれもが面

★4　**オールナイトニッポン**
1967年からニッポン放送系で放送されているラジオの人気深夜番組。DJの多様性も魅力。

白いのです。


「人間って1週間でこんなにいろんな経験ができるんだ」

「こんな1週間を過ごしたらどんなに楽しいだろう」


高校生だった私には、毎回のトークが驚愕《きょうがく》の連続でした。

しかも、所さんがすごいのはそれだけではありません。トークがどんどん脇道にそれるにもかかわらず、あるタイミングになると「……というわけで」と本筋に戻ってくるのです。所さんって頭のいい人なんだな、と感動したのをよく覚えています。

現在の所さんには「多彩な趣味を持つ自由人」というイメージが定着しています。東京の世田谷区成城に仕事場兼遊び場である「世田谷ベース」を構え、クルマやバイク、モデルガン、プラモデルなどの趣味を楽しむ様子がテレビ番組『所さんの世田谷ベース』（BSフジ）としても放映されています。

私はご縁があって、あこがれの所さんとテレビ番組で共演するようになったのですが、実際にお話ししてみると、改めて興味・関心の幅に驚かされました。

例えば、根付《ねつけ》（江戸時代に袋や印籠などにつけられた留め具。和風ストラップとも称される伝統工芸品）に詳しく、ご自身でも集めているほか、金継《きんつ》ぎ（陶磁器の破損を修復し、金などで装飾する技術）も自ら手がけるとおっしゃっていたのです。

所さんを見ていると、何かのきっかけで知ったことに興味を持ち、積極的に関わってみるというスタンスを感じます。

「それをやると儲かるから、仕事につながるから」というセコい考えではなく、ただ好きだからやっているという姿勢が魅力的です。純粋な好奇心が視聴者に伝わるからこそ、趣味が番組になっているわけです。

所さんのような生き方・ライフスタイルは、時代を先取りしていると思います。好きなテーマを追求する人は豊かに生きられるということです。

続く2章では、自分の芯をつくるための映画、音楽などを通じたインプットについてお話ししていきます。読書についても少しお話ししますが、具体的な読書術については4章で詳しく解説します。

第2章

自分の芯をつくるためのインプット

Method 9

文化には身銭を切って投資しよう

この章では、自分の芯をつくるためのインプット全般について語っていきますが、最初に強調しておきたいのは、**本や映画や音楽などの文化に触れるときには「身銭を切るべき」**ということです。

今は、いろいろな情報が無料で手に入る環境が整っています。例えば、著作権が消滅したテキストが**「青空文庫」**[★5]などで公開されたり、音楽もＹｏｕＴｕｂｅで無料配信されたりしています。

そうしたサービスは便利ですし、私自身も利用しています。決して否定するつもりはないのですが、それでも身銭を切ることを第一に考えています。

例えば、私はテレビでたまたま耳にした音楽が「いい曲だな」と思ったら、試しにＹｏｕＴｕｂｅで視聴し、気に入ったら片っ端からＣＤを購入しています。自宅には、そうや

★5　**青空文庫**
1997年に設立されたインターネット上の図書館。著作権の消滅した作品などを公開している。

って購入したＣＤが何千枚とあります。

別にＣＤを買わなくても、定額制の音楽配信サービスを利用する方法でもかまいません。とにかく文化に対してお金を投じるのがポイントです。

一つの楽曲が完成するまでには、アーティスト本人をはじめ、さまざまな人の手がかかっています。私たちがきちんとお金を出して音楽を楽しむことで、音楽を生み出す人たちの生活が支えられます。

そういえば、**大内兵衛**（元東大教授、法政大学総長）さんが、著書の中で似たような主張をされていた記憶があります。その本の中で大内さんは、本を「積《つ》ん読《どく》」するのも悪くないと書いていました。なぜかと言うと、私たちが本を買えば、出版社と出版界を支える文化的な貢献ができるからだと言うのです。


「無料で手に入るなら、それが一番賢い方法だ」

「自分一人くらいが無料で見ても、大した影響はないだろう」


そういった独善的な思考は、最終的に文化を滅ぼす元凶となります。

★6　**大内兵衛**（おおうち・ひょうえ）
（1888-1980）戦後の法政大学総長として「独立自由な人格」をつくることを教育指針とした。

身銭を切る行為は、文化を生み出す人たちへの献金のようなもの。好きな文化に献金をして応援するのは、社会の一員として当然の行為だと思うのです。

そもそもタダで入手した情報は、なかなか身に付かないと相場が決まっています。身銭を切ることで人は初めて真剣にインプットするようになります。

私はＣＤに収録された曲をウォークマンに取り込んで何度も聴き直しますが、１曲を１００回くらいリピートすると「元をとった」という満足感を覚えます。

ライブを観に行くのも、映画館に行くのも同じです。お金を出すと、何か一つでも学び取ろうと前のめりになります。そうやって**前のめりになるからこそ、学びが深まる**のです。

本について言えば、自分で買った本は自由に書き込んだり線を引いたりできるのが最大のメリットです。**私の場合、実際に線を引きながら読んだときに、内容が頭に入っているという実感が最も得られます。**図書館で借りる無料の本では、知識が完全に自分のものになりません。

ちなみに、私は電子書籍でも読書はしますが、同じ本を紙で買って読み直すパターンもしばしばです。紙の本にはなんとなく著者の人格が宿っているような気がして、ありがたみもひとしおなのです。

Method 10

流行ったらすぐに体験する

文化に触れて吸収したい気持ちはあるけれど、何を選べばよいのかわからないという人には、とりあえず流行っている本や映画、音楽に接してみるのをおすすめします。

かつて『アナと雪の女王』(アナ雪)が公開されたとき、私は朝の情報番組でMCを務めていました。当時の番組内では、毎日のように『アナ雪』の話題を紹介していました。最初の頃、私は『アナ雪』にそれほど興味を持っていませんでした。どちらかというと女の子が好きそうなお話であり、「いい年をした男性が観る映画とはちょっと違うのかな」などと思っていました。

ですから、番組内で『アナ雪』の話題になっても「面白そうな映画ですね」「楽しみな映画が公開されましたね」などと当たり障りのないコメントでお茶をにごしていたのです。

その後、『アナ雪』は私が予想した以上に大ヒット。番組では連日のようにこの映画の反響を取り上げるようになります。

いよいよ番組で口にするコメントが尽きた私は、せっかくなので劇場に足を運んでみることにしました。

実際に鑑賞してみると、『アナ雪』はヒットしただけあって面白い映画でした。ヒロインの一人であるエルサが氷の城をつくる場面は作品のクライマックスであり、多くの人を引きつけているのも納得でした。

さっそく番組内で感想を披露しようと思ったのですが、残念なことに私が映画館に行くタイミングは遅きに失していました。その時点ですでに『アナ雪』の話題は旬を過ぎており、映画の感想を口にする機会がないまま終わってしまったのです。

そのとき私は、「情報番組のMCをやっているにもかかわらず、流行り物に触れるのが遅れるなんて大失態にもほどがある」と深く反省しました。以降「流行り物にはとにかく真っ先に飛びつく」と心に固く誓ったのです。

そして『シン・ゴジラ』『君の名は。』など、話題になった映画はすぐにチケットを予約し、『鬼滅の刃』も公開3日目にいち早く鑑賞しました。

流行っているものには、何かしら流行っている理由があります。仕事で人に受け入れられる提案をしたかったら、流行っているものを知っておいて損はありません。

また、流行っているときには、みんながその話題で盛り上がっています。たくさんの人がその作品について語りたがっています。言ってみれば場が温まっています。

そんなときに、職場の同僚や取引先の人と流行り物の話をすれば会話が弾みます。


「あの作品、さっそく観たんですけど、面白かったですよ」

「私も観ました！　あのシーン、泣けましたよね」

「そうそう。思わず涙腺が崩壊しました」


こういった具合に、ちょっとした雑談で互いに意気投合できるのです。

ある程度知的レベルが高い人の中には、「流行り物には乗らない」というルールを自主的に設けている人がいます。そういう人たちは、どんなに流行っている映画でも見向きもせず、書店ではベストセラーのコーナーを一顧だにしないで通り過ぎていきます。

私は、そういうルールは大変なムダだと考えています。流行っているものを遠ざけていると明らかに損をします。

流行っているものは、とにかくすぐにインプットする。この原則を忘れないようにしてください。

Method 11

人からすすめられたものにはいったん乗ってみる

先ほどは流行したものはすぐに体験することが大事、とお話ししました。

この流行り物に乗っかる行為に通じますが、**他人からすすめられたもの、他人が好きだと言っているものを否定せず、いったん受け入れてみる姿勢も重要**です。

例えば、友だちや同僚がアニメ作品について熱く語っていたとき。

「しょせんアニメでしょ」

「アニメで感動するとか、日本人も幼稚になったもんだな」

そうやって鼻で笑って一蹴する態度には大いに問題があります。

私が若い頃には、**何かを見下したり、こき下ろしたりすることで、真っ当な批評をしているいると勘違いしている人**がたくさんいました。

でも、こき下ろしたところで相手を不快にさせるだけですし、自分にも何一つ身に付くものがありません。

まずは、他人が好きだと言っているものは否定せずに受け入れることをルールとしてください。たとえ興味がなくても、すすめられたらどんどんチャレンジしてみるのです。

私がYOASOBI[★7]という音楽ユニットを知ったのは、明治大学の学生から教えてもらったのがきっかけです。

すぐに『夜に駆ける』という曲を聴いてみて、いい曲だなと感動しました。せっかくなので自分でも歌ってみようとしたのですが、テンポが速すぎてついていけません。

学生たちがこの曲をすぐに覚えて、当たり前のように歌いこなしているのを見て、「昭和歌謡」で育った私とはリズム感がまったく違うのを痛感しました。

ともあれ、100回くらい繰り返し聴くことで、私にもなんとか歌いこなせるようになりました。

★7 YOASOBI（ヨアソビ）
2019年に結成されたAyaseとikura（幾田りら）による二人組の音楽ユニット。

皆さんには、こういう地道な努力の重要性をぜひ理解していただきたいと思います。流行歌というのは、実際に歌ってみることで時代感覚が肌で理解できるようになるのです。

他人が好きなものを否定するのは格好悪い態度です。ましてや年長者が上から目線で批判するのは、ただ見苦しいだけです。

他人が熱く推しているものにはそれだけの良さがあると考えて、とにかく付き合ってみる。このスタンスを忘れないようにしましょう。

Method 12 案内人をつくっておこう

「本」「映画」「音楽」「美術」といった分野ごとに、**ガイド役の人を見つけて、「その人からすすめられたら、とにかく試してみる」と決めておくのも良い方法**です。

私が中学生だったとき、白石先生という国語の先生がいました。白石先生は、授業の冒頭で必ずおすすめの本を紹介してくれました。

国語の授業は週3回ほどあり、3年間白石先生にお世話になったので、卒業までにかなりの冊数を教えてもらった計算になります。

先生が紹介してくれたのは、いずれも先生ご自身が読まれた大人の本ばかり。背伸びをしたがる中学生の私にとって、どれもこれも刺激的なタイトルばかりだったのを記憶しています。

紹介された本を読むと、少し大人になったような気がしました。私が読書好きになったのは白石先生のおかげといっても過言ではありません。

大学生になってからは、文芸評論家の**小林秀雄**★8を手がかりに本を読むことがしばしばありました。

小林秀雄はすぐれた文筆家であり、上手な解説文の書き手でもありました。彼の解説を読んでから『徒然草』や『平家物語』といった作品を読むと、非常に腑に落ちる読後感が得られるのです。

映画では、**淀川長治**★9さんの解説が楽しみでした。一定の世代から上の人には「サヨナラ、サヨナラ、サヨナラ！」というフレーズでおなじみの映画評論家です。淀川さんと山田宏

★8 **小林秀雄**（こばやし・ひでお）
（1902-1983）日本の本格的な近代文芸評論・批評を確立し、昭和の文壇に大きな影響を与えた。

★9 **淀川長治**（よどがわ・ながはる）
（1909-1998）映画評論家。テレビ朝日系『日曜洋画劇場』の作品解説を長年にわたって担当した。

一さん、蓮實重彦さんの三人が映画について語った『映画千夜一夜』（中公文庫）という本は、淀川さんの魅力と映画愛が詰まった1冊です。

あるいは、**アルフレッド・ヒッチコック**[★10]と**フランソワ・トリュフォー**[★11]という二人の天才監督による『定本 映画術 ヒッチコック トリュフォー』（晶文社）というのもかなりエキサイティングな本です。

この本のなかで、二人は映画撮影の裏側や仕掛けを縦横無尽に語っています。例えば、女性がミルクを持って階段を上っていく場面を撮影したとき、普通に撮るとミルクは暗く映ってしまい、それがミルクである必然性も失われます。そこでヒッチコックはカップの下に電球を入れ、ミルクの白を浮かび上がらせるという撮影上のテクニックを使ったと種明かしをしていました。

二人の天才がこのようなテクニックをたくさん公開してくれるのですから、実際の映画を観たくなるのも当然です。

今やネット上では、読んだ本や、映画、音楽などについて解説のコメントをアップしている人が無数に存在します。そういった人の中から、一方的に「目利き」の人を見つけてみましょう。

★10 **アルフレッド・ジョゼフ・ヒッチコック**
（1899–1980）映画史に残る多くのサスペンス映画を手掛けた。

★11 **フランソワ・トリュフォー**
（1932–1984）フランスの映画監督。ヌーヴェルヴァーグを代表する監督の一人。

「この人がいいと言っているなら、もう間違いない」と断言できるような人が見つかると、芋づる式にチェックすべき作品が見つかるようになります。

Method 13

師匠から言われたことは信じてみる

案内人を持つことにも通じる話ですが、もっと踏み込んで特定の「師匠」をつくってしまうのも一つの方法です。

何か他人からアドバイスを受けるとき、「誰が言ったか」というのは意外に重要な要素です。例えば、バッティングセンターでボールを打ち返しているとき、ケージの後ろにいる知らないおじさんから「体が開いているよ。もっと引きつけてから打たなきゃダメだ」と、上から目線でアドバイスされたらどうでしょう。

「熱心に教えてくれているのかな？」と思う人と「いちいち余計なお世話だよ！」と思う

人に分かれそうですね。

では、ケージの後ろにいるのがイチローさんだったらどうでしょう。きっと「あのイチローさんからバッティングのアドバイスをもらった！ 試してみよう！」と思うはずです。

イチローさんは、現役引退後に学生野球資格回復に関する研修を受け、高校・大学野球の指導ができるようになり、実際に高校野球の指導を行ったことがニュースになっていました。

高校生にしてみれば、イチローさんから直接アドバイスを受ける機会は宝物のようなものであり、一言一言を深く心に刻み込んだはずです。

『ゲーテとの対話』という本は、ゲーテの晩年に交流のあった**ヨハン・ペーター・エッカーマン**[★12]がゲーテとの対話を通じて見聞きしたこと、感じたことを書き留めた本です。

「物事は小さいところから始めることが大事だよ」

「若いうちに一生使い尽くすことができない資本をつくるのが大事だよ」

「英語ができると、シェイクスピアのような作品も読めるから学んでおいたほうがいいよ」

「自分を愛する技術は、一番大切な技術だよ」

★12 ヨハン・ペーター・エッカーマン
（1792–1854）ドイツの詩人、作家。元ワイマール王室図書館長。

本の中で、ゲーテはこういったさまざまなアドバイスをエッカーマンに与えています。

私も『ゲーテとの対話』を読んで「ゲーテほどの大作家が言っているなら真似してみよう」と考え、いくつも実践してみました。そういった教えの多くが私の血肉となり今に生きているのを実感しています。

ゲーテに限らず、信頼できる師匠を見つけて、その人の教えに従ってみるというのは自分を成長させる上で有効な方法です。

一時期流行った言葉を使えば、「メンター（精神的な指導者）をつくる」ということです。

尊敬している師匠からのアドバイスは素直に受け入れられます。受け入れて実践すれば確実に変化が生じます。つまり、自分の芯をつくる近道となるのです。

Method 14

物語を読むと想像力が磨かれる

一言で「インプット」と言っても手段や対象はさまざまですが、物語やストーリーを鑑賞する時間には大きな意味があります。

世の中には、物事を自分の経験だけで判断しようとする人が一定数います。

「本を読んでもわからないことがある」
「実際に体験してみないと、本当のことなんてわからない」

確かに、それらは至極もっともな意見です。

実際に病気になってみないと、本当に病気になったときの気持ちは理解できないでしょう。戦争を生き抜いた人から「本を読んだだけで、あなたは戦争を知っていると言えるんですか？」と問われたら、「知らないです」と答えるほかありません。

しかし、すべてが理解できないとしても、私たちには物事を想像する力があります。人は想像力を駆使することによって、真実に近づくことができるのです。

例えば、『新編　綴方《つづりかた》教室』（豊田正子著、岩波文庫）という本があります。「綴方」というのは、今でいう作文のこと。大正初期から昭和初期にかけて、子どもに自分たちの生活を自分の言葉で表現させる「生活綴方運動」という教育のムーブメントが起こりました。

豊田さんの作品も、当時の「小学生の作文」として書かれたものであり、川端康成が絶賛するほどの卓越した文章力で、戦前に出版されて大ベストセラーとなりました。

作文を書いた当時の豊田さんは、東京の下町に暮らす小学生であり、作品に描き出されるのは戦前の貧しいブリキ職人一家の暮らしです。

彼女の作文が雑誌に掲載されたのだけれど、父親が仕事をもらっている棟梁《とうりょう》の悪口が書かれていたため父が仕事を失いかける話。あるいは、貴重な自転車が盗まれて父親が仕事に行けなくなるエピソードなどが綴られています。

この本を読んでいると、小学生は小学生なりに大人の姿を丁寧に観察して自分なりに理解していることがよくわかります。

実際に仕事先で辛い思いをしているのは彼女の父親なのですが、彼女は父親を観察して想像することで、厳しい世の中を鋭く把握しています。

こうした人間の観察力や想像力を目の当たりにすると、**「世の中のことは経験しなければわからない」と言う人は、周りをきちんと観察していないか、想像力に欠けている人なのではないかと思えてくる**のです。

奇しくも『新編　綴方教室』と同じように、「父親が仕事で使う自転車を盗まれて途方に暮れる」というエピソードを描いた、有名なイタリア映画があります。**ヴィットリオ・デ・シーカ**[★13]監督の『自転車泥棒』という作品です。

これは、イタリアで１９４０年代から50年代にかけて盛んになった「ネオレアリズモ」という潮流から生まれた映画であり、社会の現実をリアルに描いているところに特徴があります。

映画では、仕事に必要な自転車が盗まれ、街中を捜し回る親子の姿が描かれます。私がこの映画を観たのは高校時代でしたが、あまりに絶望的な状況に胸が苦しくなったのを覚えています。

自分が映画の登場人物とまったく同じ境遇に置かれていなくても、私たちは物語を見る

★13 **ヴィットリオ・デ・シーカ**
(1901-1974) イタリアの映画監督、俳優。アカデミー外国語映画賞を二度受賞している。

ことで、「よりよい社会とはどういうものなのだろう」「人としてどう生きていけばよいのだろう」などと考える機会を持つことができます。

経験していないことを想像して理解するのは悪いことではありません。むしろ想像力を働かせることで、人は他人に対して寛容になれるのです。

Method 15

偏見や固定観念から自由になる

「物体自由《そうたいやわらか》」という宮本武蔵の言葉があります。

簡単に言うと、鍛錬によって全身を柔らかく自由に使えるようにすることが兵法の極意であるという教えです。

前項でお話ししたストーリーを鑑賞するような学びは、まさに人を柔軟にさせる営みです。人は、学ぶことで偏見や固定観念から柔軟に抜け出せるようになります。

例えば、昨今は「LGBT」★14と呼ばれる性的少数者への差別が社会的な問題となっています。過去には一橋大学の大学院生が恋愛感情を告白した相手に同性愛者であることを暴露されてしまい、自殺するという痛ましい出来事がありました。

今でもニュースなどを見ていると、性的少数者への差別的な発言をした政治家が弁明に追われる様子がたびたび報じられています。

差別的な発言をする人たちは、ＬＧＢＴの人たちを自身には理解不能な人たちであると認識しているのかもしれません。

けれども、そういった価値観や指向は、小説を読んだり映画を観たりした経験をきっかけにガラリと変容することがあります。

私自身、かつて『苺とチョコレート』という１９９４年の映画を観て、男性同性愛に対する感覚が変わるのを実感した経験があります。

この作品は１９８０年代のキューバ・ハバナを舞台に、共産主義者の大学生と同性愛者である芸術家との二人の友情を描いた物語です。

同性愛者の男性は非常に魅力的な人物であり、彼に共感すると同時に、映画を観ながら同性愛者を自分と区別しようとする考えが崩れていくのが自分でもわかりました。

★14 LGBT
LGBTとは、Lesbian（女性同性愛者）、Gay（男性同性愛者）、Bisexual（両性愛者）、Transgender（性別越境者）の頭文字をとった単語で、セクシュアル・マイノリティ（性的少数者）の総称の一つ。

そのとき私は二つのことに気づきました。一つは、**小説や映画には人の感覚を変容させ、偏見を解消させる力がある**ということ。私は、ただテキストを読むのではなく、ストーリーに没入することで、感覚を変容させることができました。

そしてもう一つは、**偏見や固定観念を解消させるのが本当の意味での学びである**ということです。

あえて上級者向きの本を紹介しますが、**マルキ・ド・サド**[★15]の**『閨房の哲学』**[★16]（講談社学術文庫）を読むと、あらゆる価値観が根こそぎぶっ飛ぶような衝撃を受けるはずです（これを読んでもくれぐれも私の人格を疑わないようにしてください）。

ともあれ、偏見や固定観念を突き破るのは非常に爽快です。ですので、読者の皆さんにもさまざまな物語に触れることで、いろいろな価値観を持つ人に共感してほしいのです。

★15 マルキ・ド・サド
（1740-1814）フランスの貴族、小説家。淫猥で残酷な描写の作品が多い。サディズムの語源。
(PD-US)

★16 閨房の哲学（けいぼうのてつがく）
1795年に出版。登場人物たちの“性と革命”に関する対話を通して、サドの思想を表現している。

Method 16

レビューで学びを共有する

さて、ここからはレビューを通じたインプットについてお話ししていきます。

学んだ内容について、熱く楽しく意見を交換、共有できる仲間がいる。これこそが、人間にとって幸福な状態だと言えます。

ここで言う「仲間」には、友だちや会社の同僚だけでなく、ネット上でつながっている人も含まれます。

私は夜中にＹｏｕＴｕｂｅを見るのが好きですが、動画を視聴するのと同じくらい、コメント欄を読むのを楽しみにしています。

同様に、本を読んだときにはアマゾンのレビュー、映画を観たときにも映画サイトの作品レビューに必ず目を通します。

あるいは、夜中にサッカー中継を観るときには、インターネット実況のコメント欄をリアルタイムでチェックしながら観戦しています。こうすると、スポーツバーで仲間と「行け、行け！」「おーっ、やった！」などと声を出しながら盛り上がっているような気持ちになり、より試合に没頭できるのです。

あるとき、コメント欄のない動画を視聴したところ、何か物足りなく感じている自分に気づきました。いつの間にか、私にとってレビューは食べ物同然の必需品であり、レビューがないと耐えられない体質になっていたのです。

例えば、「THE FIRST TAKE」★17というYouTubeチャンネルに、歌手のLiSAさんによる『炎』★18の歌唱動画がアップされたときも、私は早速コメント欄を読み込みました。

予想通りコメント欄はLiSAさんの歌声を絶賛し、歌詞に感動したというポジティブなコメントであふれていました。

私自身は、直接コメントを書き込むことはないのですが、皆さんのコメントを見ながら「そうそう！」「だよね！」「その通り！」と、膝を打ちっぱなしでした。

そうやって何百というコメントを見ながら曲を聴いていると、素晴らしい歌声が全身にしみこんでくるような感覚を覚えます。

★17 THE FIRST TAKE
2019年に開設されたYouTubeチャンネルで、一発撮りのみで収録したパフォーマンスを公開。

★18 炎（ほむら）
2020年にリリースされた歌手LiSAの曲。映画『劇場版「鬼滅の刃」無限列車編』の主題歌。

その感覚をもたらしているのは、きっと「こんなにも自分と同じ感覚を持っている人がいるんだ」という幸福感だと思うのです。

Method 17

レビューを通じて人とつながる

特に私がレビューのありがたさを実感するのは、マイナーな本や映画に触れたときです。私は1日1本映画を観るのを日課にしており、有名作品だけでなく古い作品やマイナーな作品まで幅広く楽しんでいます。

その中で、例えば『クスクス粒の秘密』という映画があります。2007年に製作されたフランスの作品です。

舞台はフランスのとある港町。チュニジア移民の家族が船上レストランを開店しようとするのですが、開店当日、肝心の食材であるクスクス（小麦粉から作る粒状の食べ物）が届きません。お父さんがクスクスを調達しに出かけている間、集まったお客さんの気を紛らわせるために、娘がベリーダンスを踊り続けます。

……とあらすじだけを紹介しても、意味不明な映画だと思います。もしかすると、実際に観ても、人によっては何が言いたいのかわからないと感じる作品かもしれません。

しかし、私には不思議と強く印象に残る作品でした。ベリーダンスをする娘の一心不乱さが、たまらなく心を引きつけ、なんともいえない陶酔感を味わったのです。

早速レビューをチェックすると、やはり数人の方がしっかり感想を書いています。高評価がついているのを見つけ「ですよね！」と共感しました。

『ピュア 純潔』というスウェーデン映画を観たときもそうです。

これは2009年のスウェーデン映画であり、主人公は不遇な生い立ちの非行少女。ふとしたきっかけでモーツァルトの音楽を聴くようになり、音楽の仕事に就こうと考えるようになります。そして中年男性の指揮者と出会い、心惹《ひ》かれるようになり……というストーリーです。

この作品も決してメジャーではありませんが、ピュアとリアルが同時に成立しているような主演俳優**アリシア・ヴィカンダー**[★19]さんの演技が素晴らしく、強く引き寄せられました。

★19 **アリシア・ヴィカンダー**
（1988–）スウェーデンの女優。2015年の『リリーのすべて』でアカデミー助演女優賞受賞。

すかさずレビューを検索したところ、やはりアリシアさんの演技を褒《ほ》めている書き込みを見つけ、興奮を覚えました。

もちろん、自分が感動した映画についてネガティブなレビューを目にすることもあります。以前は、そういう書き込みを見つけると、感動に冷水を浴びせかけられたような気がして、ちょっと不愉快になっていました。

けれども、今では「そういう人もいる」と割り切って、上手に受け流せるようになりました。レビューでは、ポジティブな評価だけを選択して見ればよいのです。

マイナー映画のレビューに、自分と同じような感想を見つけると、「同じ映画を観て感動した人がいるんだ」と心がつながったような気分が味わえます。

同じ映画を観た人と直接意見交換できたら楽しいでしょうが、レビューで感想を共有するだけでも十分です。

映画に限らず、何かの作品に触れたらレビューを読んでみるのをおすすめします。

Method 18

レビューで学びを深められる

レビューがありがたいのは、前述したように作品の感想を共有できるだけでなく、プラスアルファの知識が得られるところです。

例えば、映画のレビューを見ると、次のような文章を目にします。

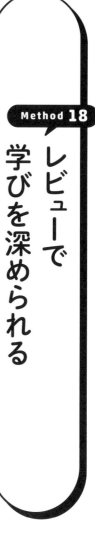

「この監督は○○という作品も撮っていて、本作と似た世界観が描かれている」
「主演は、△△という作品でも圧倒的な演技をしていた□□である」

つまり、作品についてもっと知りたい人のために関連情報を教えてくれているのです。
なかには関係者や熱狂的なマニアが独自の情報を補足しているケースもあります。
そうやってみんなが惜しげもなく貴重な情報を披露しているのを見ると、つくづく「みんな親切だな」と感動してしまいます。

以前、アイドルグループの乃木坂46の『インフルエンサー』[★20]という曲の動画をチェックしました。しかし、ただ動画を見ただけでは、「こういう歌詞なんだな」とか「ユニークなダンスだな」といった感想止まりで、それ以上は知識が広がりません。

そこで『インフルエンサー』のレビューを見てみたら、メンバー同士の人間関係や楽曲がリリースされた経緯など、事細かな情報がどんどん頭の中に入ってきます。それを夜更かししながら読み通していたら、一晩で乃木坂46についてすっかり詳しくなりました。まさに一夜漬けです。

次の日、大学での授業中に学生との会話でたまたま乃木坂46の話題となり、仕入れたばかりの知識を披露しました。すると、最初のほうこそ「先生、よく知っていますね！」という反応が返ってきていたのですが、しばらくすると「詳しすぎてちょっと気持ち悪いです……」と言われてしまいました。

どうやら私は一晩にして「オタク」顔負けの知識を身に付けてしまったようなのです。

実は、45ページでお話ししたＹＯＡＳＯＢＩの『夜に駆ける』に触れたときも、学生から似たようなリアクションをされた経験があります。

★20 **インフルエンサー**
2017年発売。センターポジションは白石麻衣と西野七瀬。第59回日本レコード大賞大賞受賞曲。

共通していたのは、**レビューをじっくり読み込んだこと**です。

改めて振り返ると、私の場合、レビューをたくさん読むだけでなく、そこから派生した情報を次々と検索していることがわかりました。

レビューで別の作品名が出てきたら、それを検索する。そこで、知らない固有名詞が出てきたら検索する……。そうやって周辺情報をひたすらチェックしていくと、たった数時間で非常に詳しくなれるというわけです。

ぜひ、皆さんもＹｏｕＴｕｂｅなどで動画を見たときには、**「レビューをチェック＋関連情報を検索」のセットを試してみてください。驚くほど知識が深まること請け合いです。**

Method 19

人生もレビューから学ぶことができる

レビューを読むと、知識を増やせるだけでなく、さまざまな人生模様を垣間見たり、見知らぬ人と交流したりすることができます。

私は、back number★21というバンドが好きで、思い出したように曲を聴きたくなるときがあります。2枚組のベストアルバム『アンコール』のCDを聴いていたのですが、先日、公式のミュージックビデオがネットにアップされたので、例によってレビューも隅々まで読み込んでいきました。

すると、その中に気になるレビューを見つけました。

レビュアーは青森県を旅行中の男性。たまたま旅先で入った映画館で、受付をしている女の子に一目ぼれしたのだといいます。その子がどうしても気になって、何度か同じ映画館に通ったのですが、それ以上勇気がなくて踏み出せない。そんな状況を切々と綴っていました。

そこに、別の人からコメントが書き込まれていました。

「今すぐ告白したほうがいい。今すぐ告白しないと後悔するから」

さらに時間が経過したところに、次のようなコメントが投稿されているのを見て、興奮

★21 back number
2004年結成。メンバーは清水依与吏（ボーカル＆ギター）、小島和也（ベース）、栗原寿（ドラム）。

しました。

「告白したらＯＫが出ました！」

その投稿者は青森県とは縁もゆかりもない人なのですが、今の仕事を辞めて、青森県への移住を検討しているとまで書いていました。一連のコメントを見て、「すごい話があるものだな」「みんな、いろんなドラマを持っているんだな」と感心しました。

「片思いをした男性が悩みをコメントしたら、別の人が勇気を持って告白するようにアドバイスをした」

知らない人から見ると、ロックバンドのミュージックビデオとは無関係な出来事です。けれども、back number が切ない片思いや失恋を多く歌っていることを知っているファンにとっては、一連のやりとりが back number の楽曲の一部のように思えます。むしろ、back number の曲にインスピレーションを受けた物語のようにすら思えてきます。

ネット上のやりとりですから、なかには本当っぽい作り話がまぎれているのかもしれません。すべてのコメントが真実だと言い切れないのは事実です。

けれども、実害がないかぎり、私はこういったコメントを基本的に信じることにしています。私の経験上、レビューを何千、何万と見ていると、やらせのコメントをしている人なのか、作品を愛してコメントしている人なのかは、ある程度見当がつきます。

ネット空間で、同じ作品を好む人と、共感しあったり、知識を共有しあったり、ときには人生の悩みを語りあったりできるのは、今の時代ならではのメリットです。**レビューを活用すれば、たった一人で作品を楽しむよりも、何倍も楽しみが増すのです。**

Method 20

ニュースには「コメンテーター」になったつもりで接する

今では、ネットニュースに一般の人のコメントが表示されるようになっています。これも一種のレビューと言えるでしょう。

日頃、テレビや新聞、ネットなどのニュースを見聞きするとき、皆さんはどうされているでしょうか。

「すごいな」「感動した」「ひどい話だ」などと思っても、一時的な感情で、しばらくするとどんな内容だったのか思い出せなくなります。これでは自分の芯をつくることにはほとんど貢献しません。

ニュースにもっと主体的に関わることを意識しましょう。具体的には、コメンテーターになったつもりでコメントを考えながらニュースを見聞きするのです。

「この話題について何かコメントしなければならない」となると、とたんに真剣度がアップします。当然、物事を深く考えるようにもなるわけです。

新聞の場合は、気になった記事を切り抜きしてノートの左側のページに貼り、右側のページにコメントを書く方法がおすすめです。2週間くらい続けると、「ニュースが身に付いている」という実感が得られるようになるはずです。

もちろん、ネットニュースのコメント欄に書き込んだり、SNS上で発信したりするのもよいでしょう。いい意見を言えば、周囲から「いいね」という賛同が得られます。この賛同が、またコメントしてみようというモチベーションにもつながります。

人前で話すときには、ある程度のバランス感覚が求められます。ネット上では、テレビのコメンテーターについて「当たり障りのない意見でつまらない」などと批判されがちです。私は別にテレビ局の肩を持つわけではありませんが、コメンテーターにはコメンテーターの事情があります。できるだけ人を傷つけないように配慮しながらコメントをしているのです。

皆さんも、会社などでニュースについてコメントをするときには、それなりにカドが立たないような配慮が求められます。**コメンテーターになったつもりでニュースを見ると、カドを立てず、かつ建設的な意見を主張するよい訓練となるでしょう。**

Method 21

どうして新聞を読まなければならないのか

私は、複数のニュースソースを使い分けて情報を収集しています。

ニュースは3つくらいの媒体で接すると、頭に定着しやすくなります。つまり、**ネットだけに偏らず、テレビ、ラジオ、新聞なども含め、複合的なソースから情報に接するのが効果的です。**

ところで皆さんは、最近新聞を読んでいるでしょうか。

私が小学生だった時代は、学校で新聞を扱った授業が行われる機会がありました。先生が「お家で読んでいる新聞を持ってきなさい」と言うと、全員が新聞を持ち寄ってきます。どんなに経済的に苦しい家庭でも、当時は新聞を購読していたのです。

その頃、齋藤家では新聞を5紙くらい購読していました。毎朝、新聞を読むのは、ちょっと大人になれたようで誇らしくも楽しい時間でした。

ところが、現代では新聞を定期購読する人の減少傾向が加速しています。「ニュースはネットで十分」「新聞の役割は終わった」という声も聞かれます。小学生の子を持つご家庭で新聞を購読しているのは、もはやレアケースに近い状況かもしれません。

しかし、私は今でも新聞を愛読しています。学生にも新聞を読むことをすすめていますし、本に書いて新聞を応援したこともあります。

では、どうして私がこんなに紙の新聞にこだわっているのか。それは、新聞社の多くが紙の新聞を利益の中心として維持されているからです。

新聞社は記者を雇用し、記者は取材をしてニュースを報じます。もし新聞社が記者を雇う体力を失ったら、ニュースは成立しなくなります。

もちろん、一般の人がネットで発信するという形で、新聞の役割を代替できる余地はあるでしょう。

けれども、新聞社は記事の内容に責任を持っています。記事が間違っていたとなると、新聞社は責任を問われます。記者が署名記事を書いている場合、個人にも責任が及びます。この**「責任のもとに記事を書いている」ということに意味があります。**

新聞社の取材力をバカにしてはいけません。取材をしないで記事をつくるとなると、政府側から提供された報告を一方的に流すだけになります。それは民主主義が機能している状態とは言えないでしょう。つまり、新聞が崩壊すれば、民主主義の基盤が揺らぐ危険性があるのです。

新聞を読むのは、ニュースを知ることであると同時に、私たちの「知る権利」を守るための行動でもある。若い人にはそんな気持ちで新聞を読んでほしいところです。

Method 22

ラジオは聴けば聴くほどクセになる

新聞と同様、「オールドメディア」の代表格としてくくられるのがラジオですが、コロナの影響でステイホームの時間が長くなってから、ラジオの聴取者数は増加傾向にあるのだそうです。

ラジオを聴くと、語彙《ごい》や話題が豊富になる効果があります。 何しろ、ラジオは言葉だけで物事を伝えるメディアです。パーソナリティには視覚に頼らない説明力が求められます。一流パーソナリティの番組を聴いていると、英語の「スピードラーニング®」のように言葉が頭の中にどんどん入ってくるわけです。

私がお世話になっているクリーニング店の店主は、毎日ラジオを聴きながら仕事をしていて、いつもラジオで仕入れたネタで、来店するお客さんたちを楽しませています。

深夜ラジオを聴くのも楽しい時間の過ごし方です。今は、わざわざ夜更かししなくても、

radiko★22のタイムフリー機能を活用すれば、1週間前までさかのぼって放送を聴くことができます。

私は、お笑いコンビ・おぎやはぎさんが出演している『メガネびいき』（TBSラジオ系）という番組を愛聴しています。2時間聴いたところで何の学びにもならないのですが（失礼！）、なぜか聴くのをやめられないのです。

『メガネびいき』のリスナーは、「クソメン／クソガール」と呼ばれています。男性リスナーがクソメンで、女性リスナーがクソガール。ずいぶんなネーミングですが、リスナーが面白がって自称しているのを聴くと、パーソナリティであるおぎやはぎさんとリスナーとの間に温かい関係ができているのがよくわかります。

あるとき、この番組中でおぎやはぎさんが「不機嫌で許されるのは子どもと天才だけだ」という私の文章に反応してくださったことがありました。嬉しくなった私は、早速番組あてにメッセージを添えて本をお送りしました。

そのときの文面の書き出しは、「小木さん、矢作さん、工務店さん」にしました。「工務店さん」というのは、番組の構成作家である鈴木工務店さんを指しており、工務店さんの名前を出すことで私が『メガネびいき』リスナーであると伝わるわけです。

★22 radiko（ラジコ）
2010年4月に配信を開始した、ラジオ放送をインターネットでサイマル配信するサービス。

このようにラジオ番組内には、テレビにはない独特の「身内感覚」「仲間感覚」が醸成されています。ですから、知らないラジオ番組を初めて聴くと、前提がわからなすぎて、ついていけない感覚があります。

その時期を乗り越えて慣れてくると、番組内のしきたりや作法を共有するのが楽しくなり、やみつきになっていくのです。時間とともにお酒が熟成されて味わいがよくなっていくのと似ています。

さて、そんなパブリックでありながらパーソナルな媒体であったラジオですが、最近は若干危惧《きぐ》するところがあります。ラジオ内でのパーソナリティの発言が、ネットニュースの記事になることが増え、ラジオを聴かない人の間で炎上するケースが見られるようになってきたのです。

ラジオには身内だから許される放言というのがあって、きちんと前後の文脈を理解しているリスナーたちに許容されている部分がありました。しかし、発言の一部が切り取られてネットニュースの記事になると、かなり印象が悪くなってしまうのです。

炎上が続いた結果、パーソナリティが萎縮すれば、ラジオはどんどんつまらなくなっていきます。ぜひ皆さんには、ラジオの私的な空間を守っていただきたいと願うばかりです。

Method 23

ラジオを聴くと言葉のセンスが磨かれる

前述したように、ラジオを聴くと言葉のセンスが磨かれ、コメント力もアップする効果があります。

長年パーソナリティを続けている人は、厳しい競争を生き残った素晴らしい話術の使い手。その話し方のテクニックから、私たちリスナーは多くを学ぶことができるわけです。

実際に、人気ラジオ番組を聴いていると、投稿者の表現力と言葉の使い方に驚愕することがしばしばです。

例えば、ＴＢＳラジオの『**安住紳一郎の日曜天国**』★23には、毎回テーマに沿った読者からのメッセージが寄せられるのですが、どれもが上質のエッセイのように味わい深いものばかり。ときには、パーソナリティの安住紳一郎さんやアシスタントの中澤有美子さんが、涙声になってしまう場面もあるくらいです。

★23 **安住紳一郎の日曜天国**
2005年4月からTBSラジオで、毎週日曜日の10時から放送されているトークバラエティ番組。

投稿のレベルが高いのは、もちろんリスナーの知的水準がもともと高いという理由が大きいでしょう。と同時に、パーソナリティである安住さんのトークを聴いているうちに、彼のハイレベルな言語センスから刺激を受けているのも大きな理由だと思うのです。

ラジオを聴き続ける時間は、知的な言葉のシャワーを浴び続けるようなもの。当然、言葉が五感を刺激し、想像力を膨らませるような言葉づかいをいつの間にか身に付けてしまう可能性はあります。

ただし、受動的にラジオを聴いているだけでは、その効果は限定的です。**重要なのは、能動的にラジオに関わり、言語センスを活用することです。**

具体的には、好きなラジオ番組にメッセージを投稿する方法があります。

ラジオ番組では、「今日のメールテーマ」などと題してリスナーからエピソードを募って紹介するコーナーが定番となっています。こうしたコーナーにメールを送ってみるのです。

「最近気づいたこと」「学校の思い出」など、急に聞かれたら、とっさに面白いエピソードを披露するのは難しそうです。けれども、時間をかけて過去の記憶をたどってみると、自分の中にエピソードがいくつかストックされているのに気づきます。

投稿メールを書こうとすると、ストーリーの起承転結や、オチの構成に頭を働かせるこ

とになります。幼稚な言い回しを避けようとして、推敲《すいこう》も繰り返すはずです。そういった作業のすべてが、自分の知性を磨く絶好のトレーニングとなります。

ラジオ番組に投稿する目的で、過去のエピソードを書き出しておけば、雑談の機会などに会話のネタを引き出しやすくなります。

投稿が採用されれば嬉しいですし、採用されなくても得るものは少なくありません。

Method 24

ライブは魅力的なインプットの場である

本章の最後に「ライブ」というインプット手段に触れておきましょう。

CDやDVD、配信サービスなどで音楽や舞台を鑑賞するのも良いですが、皆さんにはぜひライブを体験する時間をつくっていただきたいと思います。

ライブの良さは、なんといっても現場の空気を味わえるところにあります。

私たちは、コロナ禍の影響で多くのライブが中止に追い込まれる状況を目の当たりにしました。改めてライブ空間の素晴らしさを再認識した人も多かったのではないでしょうか。ライブはアーティストと観客が一緒につくり上げる空間です。いわば、双方による共同作品のようなものであり、観客は単なる受け身の存在ではありません。

実際に音楽のライブでは、楽曲の一部を観客が歌うシーンがしばしば見られます。矢沢永吉さんのライブでは、「E.YAZAWA」というおなじみのロゴが入ったタオルをみんなが持ち寄り、一部の曲ではタオルを投げる風景が一種の「お作法」となっています。

矢沢永吉さんを好きになったら、ライブに行く。ライブに行ったら、みんなと一緒にタオルを持ち寄って投げる。ライブでは、矢沢さんのパワーとエネルギーに圧倒されて、「自分も明日からの仕事を頑張ろう」と思う。それが自然な流れであり、ライブ体験の醍醐味であるわけです。

演劇も同じであり、**現場の空気を味わってこそ「文化を享受した体験」として記憶に残ります。**

私の大学でも、最近初めて歌舞伎座で歌舞伎を鑑賞したと報告してくれた学生がいました。その学生は、「実際に観たら歌舞伎は面白いものだった」と報告してくれただけでなく、歌舞伎座という建物の様子や、**「一幕見席」**★24なら低価格で学生でも楽しめると語っていました。

おそらく、その学生がＹｏｕＴｕｂｅで歌舞伎を見ても、あまりピンとこず、記憶にも残らなかったかもしれません。

要するに、歌舞伎の演技だけでなく、劇場で見聞きしたもろもろの体験も合わさって「歌舞伎を鑑賞した」という文化体験が成立しているということです。

コロナ禍では、ライブを支えるために配信チケットの発売が増えました。また、ライブの模様を収録したＤＶＤを製作し、収益化を図っているケースもあります。こうした手段にお金を投じるのも良いですが、安心して外出できる状況になったら、もっとライブ体験の機会を増やしてみましょう。

３章ではインプットした情報をいかにアウトプットにつなげていくかについて、さまざまな角度からお話ししていきましょう。

★24　**一幕見席**（ひとまくみせき）
歌舞伎座4階にある先着順の自由席で、好きな幕のみ見ることが可能。定員は約150名。

第3章

アウトプットが自分を変える

Method 25

「学んだら発信する」をセットにしよう

私は大学の授業で、学生たちに「この1週間のうちに観た映画・読んだ本」について発表してもらう時間をつくっています。

すると、一人が紹介した映画を「面白そう」と感じた別の学生が、紹介された映画を観るということが起きます。一人が見聞きした物事を紹介するだけで、自然と学びが増幅していくわけです。

学びと発信はセットであるべきだ、と私は考えます。

「学んだらテストする」というのは、学習のごく一面にすぎません。それよりも「学んだら発信する」のほうが純粋に知的な行為だと思います。

『論語』[★25]でも、孔子と弟子たちはテストをし合っているのではなく、学んだ知識を披露し合っています。例えば次のような記述があります。

★25 **論語**（ろんご）
孔子とその弟子の会話を記した20篇から成る書物。孔子の死後、弟子たちが記録した。

子貢曰わく、貧しくして諂《へつら》うこと無く、富みて驕《おご》ること無きは、何如《いかに》。子曰わく、可なり。未だ貧しくして道を楽しみ、富みて礼を好む者には若《し》かざるなり。子貢曰わく、詩に云う、切するが如く磋するが如く、琢するが如く磨するが如しとは、其れ斯れを謂うか。子曰わく、賜《し》や、始めて与《とも》に詩を言うべきのみ。諸《こ》れに往《おう》を告げて来を知る者なり。

子貢が孔子にこうたずねた。

「貧しくてもへつらわず、金持ちでもいばらないというのは、どうでしょうか？」

先生が答えられた。

「悪くはないね。だが、貧しくてもなすべき道を楽しみ、金持ちでも礼儀を好むというのには及ばない。」

子貢がいった。

「『詩経』★26に『切るがごとく、磋《す》るがごとく、琢《う》つがごとく、磨くがごとく』［切磋琢磨《せっさたくま》］と書いてあるのは、そのことを言っているのでしょうね。」

先生はいわれた。

★26 **詩経**（しきょう）
中国最古の詩集。『書経』『易経』『春秋』『礼記』とともに儒教の経典（いわゆる五経）の一つ。

「子貢よ、それでこそはじめて詩の話をいっしょにできるね。ひとつ言えば、次をわかってくれる。（言葉のやりとりが楽しめるね。）」（『現代語訳　論語』、ちくま新書より）

高校時代の夏休みに『論語』を読むという宿題があり、私はこの文章を初めて目にした記憶があります。

当時は、高校生は夏休みの宿題で必ず『論語』を読むことになっていると思い込んでいました。しかし、上京してから『論語』を読んだ経験がない学生のほうが多いのを知って驚きました。今となっては、当時の国語の先生に感謝しています。

ともあれ、ここで注目してほしいのは、孔子が「詩経について語り合うことができる」と喜んでいる点です。

ただ語り合えるから嬉しいのではなく、詩経を読んで「切磋琢磨」という言葉を引用して語り合う行為に、孔子と子貢は知的な喜びを感じているのです。

孔子は、他の弟子や自分の子どもにも「詩経を読んでごらん。あれを読めばいろいろな知識が身に付くよ」とすすめています。孔子にとって、テキストを引用して語り合う行為の快感は、何度強調しても強調し足りなかったのでしょう。

今の私には、そんな孔子の気持ちがよくわかります。ぜひ読者の皆さんには、「学んだら語る」「学んだら発信する」をセットにして、アウトプットの楽しさを味わっていただきたいのです。

Method 26

コメントを付けると学びが深まる

私自身、普段から「人前で面白く話す」という目標を持ち、アウトプットのために本を読んだり映画を観たりしています。

人前で話すという前提がない状態で、ただインプットを楽しむ。それも一つの楽しみ方ではありますが、**何か具体的なアウトプットをしておかないと、読んだ本や観た映画の内容は、時間の経過とともにほとんど記憶から失われてしまいます。**

「このエピソード、友だちに話したら興味を示してもらえそう」
「ツイートしたら反響が得られそう」

このように、アウトプットを想定することで、より真剣にインプットするようになるわけです。

例えば、映画を観たら必ずツイッターで感想をコメントする。これをルール化しておくだけでもよいのです。

昨年末、私は『週刊文春エンタ！』誌の依頼を受けて、２０２１年お正月映画10本についてレビューするという仕事をしました。公開予定の作品を事前に鑑賞して、見所やおすすめのポイントを紹介する企画です。

このとき与えられた文字数は、１作品につき80文字。ツイッターの文字制限１４０字よりも短い字数です。

この手のレビューを80字に収めるのは至難の業です。私は、体言止めと五七五の文体を駆使して、苦心しながらコメントを書いていきました。

例えば、『無頼』という井筒和幸監督の作品には「血が騒ぐ、荒ぶる身体の昭和史」と内容を要約した上で、「スピッツが犬だと知らない良い子は、昭和の無謀な活力に触れてみましょう。コンプラや、昭和は遠くなりにけり。」とまとめました。

「**スピッツ**[★27]」というと、平成生まれの若い人たちにはロックバンドが頭に思い浮かぶでしょうが、昭和の頃は「よく吠える白い犬」を指していました。そんな昭和の時代を知らない若い人に向かって、「昭和期の無謀さに接してみましょう」と提案しているわけです。「無謀さ」と言っているように、昭和を決して美化していないところも見逃せないポイントです。

「コンプラや、昭和は遠くなりにけり」が五七五調で、なおかつ**中村草田男**[★28]の「降る雪や明治は遠くなりにけり」という俳句をもじっているのにお気づきでしょうか。つまり、「コンプライアンスに厳しい現代から見ると、昭和は本当に遠い昔の時代になってしまったんだな」という郷愁を表現したわけです。

こんな具合に10作品すべてにコメントを付け終えたとき、作品に対する愛情が深まったのを実感しました。改めてアウトプットの重要性を再認識する出来事でした。

インプットした後にコメントを付けておくと、どのポイントで自分が感動したのか、作品の見所がどこにあるのかが具体的になります。だから、記憶にも残るし、説得力のある

★27 **スピッツ**（SPITZ）
1987年に結成された日本のロックバンド。『ロビンソン』『チェリー』など大ヒット多数。

★28 **中村草田男**（なかむら・くさたお）
（1901-1983）『ホトトギス』同人となり、1946年『万緑』を創刊、主宰。人間探究派と呼ばれた。

発信もできるのです。

コメントを付ける行為は、図書館でいうと閉架資料ではなく、開架資料を揃えるようなもの。要するに、いつでも手に取って参照できる状態になっているということです。インプット→コメントを習慣化するだけで、学びの質が一気に向上するのは間違いありません。

Method 27

一を聞いて十をアウトプットする

基本的にアウトプットは多ければ多いほどよいです。

特に、**多くの日本人は膨大な情報をインプットしながらほとんどアウトプットをしない「インプット過多」に陥っています。**ですから意識的にアウトプットの機会を増やすべきです。少しの情報をインプットしたら、すぐに大量にアウトプットする習慣を身に付けましょう。

歌手の井上陽水さんの作品に**『ワカンナイ』**★29というタイトルの楽曲があります。曲を聴くと、宮沢賢治の有名な『雨ニモマケズ』を下敷きにつくられたのがわかります。これは現代人の視点で賢治の歌に「ワカンナイ」とつぶやいている歌です。

陽水さんの『ラインダンス』（新潮文庫）という著書には、この曲の成立過程を綴った、作家・**沢木耕太郎**★30さんの文章が収録されています。

それによると、あるとき沢木さんの自宅に陽水さんから電話がかかってきて『雨ニモマケズ』がどんな詩だったのかを教えてほしい」と言われたのだそうです。

当時はインターネットもない時代。すぐに『雨ニモマケズ』の内容を知ることもできず、友人の中で最も宮沢賢治を知っていそうな沢木さんに電話をかけたというわけです。

沢木さんは近所の書店を探し回って、どうにか詩集を手に入れ、折り返し電話をかけて詩を朗読してあげます。陽水さんは、それをふんふんとうなずきながら聞くばかりで、特にメモを取っている様子もありません。

心配になった沢木さんが「メモを取らなくてもいいの？」と聞いても、陽水さんは「いいんだ」と返します。

このとき、陽水さんはすでにレコーディングに入っていて、その場で曲を完成させなけ

★29 **ワカンナイ**
1982年にリリースされた井上陽水の10枚目のアルバム『LION & PELICAN』に収録。

★30 **沢木耕太郎**（さわき・こうたろう）
（1947-）『テロルの決算』『一瞬の夏』『深夜特急』『檀』など多彩なジャンルで名作を発表。

れば間に合わない状況だったといいます。

そこで、電話口で耳にした『雨ニモマケズ』の内容をもとに、即興で『ワカンナイ』の歌詞を書き上げたというわけです。

井上陽水という天才ならではのエピソードですが、ここには私たちにも参考になる要素が二つあります。

一つは、インプットした情報をアレンジして独自の表現をすること、そしてもう一つは限られたインプットから豊かなアウトプットをすることの素晴らしさです。

陽水さんは、短い時間でインプットし、すぐに1曲分のアウトプットをしています。まさに『論語』の一節に出てくる「一を聞いて十を知る」ならぬ「一を聞いて十話す」です。

常にみずみずしい知性を保つには、思い切って「インプット1：アウトプット9」の割合くらいを目指すのが理想です。とにかくインプットしたら、すぐに大量のアウトプットを心掛けることが肝心です。

Method 28

学んだことはどんどん「請け売り」で話す

アウトプットの基本は引用です。引用は学びのモチベーションになります。「ここから引用して人に話そう」と思いながら本を手に取れば、あたかも埋蔵金を掘り当てようとするときのような気持ちで読み進めることができます。漠然と読書をしているときより、はるかに発見が多くなるはずです。

誰かが言っていた言葉を、そのまま引っ張って請け売りする。それはけっして恥ずかしい行為ではありません。

そもそも世の中のほとんどの発言は、請け売りの情報99%に、たった1%の自分らしさをまぶしているだけ。その1%がオリジナリティとして評価されているのが実情なのです。

あの孔子も「述べて作らず（昔の聖人の言葉をもう一度言うだけ）」と語っていますし、イエスも「人はパンのみにて生くるにあらず」など旧約聖書からたびたび引用しています。

最初は、「孔子がこう言ってたよ」「太宰治がこんなことを書いていたよ」と単純な請け売りをしているだけでいいのです。

SNSなどに投稿するときは、出典を明らかにするために「出典『□□』」などと記載する必要がありますが、基本的なルールを守った上で、どんどん引用していきましょう。

他人の発言を引用していると、錯覚とも呼べる現象が起きて、発信している内容が自分の知識のように感じられてきます。もともと自分が考えついたオリジナルの言葉だったような気になるのです。

他人の発言を自分の知識として発信したら、それは当然「剽窃《ひょうせつ》」となります。しかし、人はロボットではないですから、オリジナルの発言を一言一句コピーしているわけではありません。

一度、人の脳の回路を通して発言すると、どうしたってその人らしい発言になります。これこそが「1%の自分らしさ」であり、少しでも自分らしくアレンジされた言葉は、もうオリジナルの言葉になり得ます。

そういう視点で改めてニーチェの発言を読み直すと、その中にはゲーテの言葉が結構織り込まれているように感じられます。だからといって、ニーチェがゲーテの二番煎じだとは思いません。やはりどれをとってもニーチェが語った言葉は、ニーチェ自身の言葉なのです。

偉大な先人の言葉が自分の中に入り、それが自分の中でこなれて、自分の言葉になって出てくる。これは学びの最も自然な作用です。

とにかく何かを見聞きして、面白いと感じたり、感動したりしたら、どんどん引用していけばよいのです。

Method 29

イベント感覚で古典について語る

学んだ内容をアウトプットする機会をイベント化してしまうのもおすすめです。

例えば、私が大学でよく行っているのは古典をテーマにしたイベントです。具体的には、特定の古典作品を読んでもらい、その作品に関係した自分のエピソードを一人あたり三つずつ発表してもらう取り組みです。

『論語』をテーマにしたときは、学生たちが『論語』にからめて思い思いにエピソードを披露します。

例えば一人の学生は、高校時代に取り組んでいた部活の試合での経験を話してくれました。その試合でミスをした結果、チームを敗退させてしまったというのです。

一通り回想が終わったところで、その学生が言いました。

「子曰わく、『過まって改めざる、是れを過まちと謂う』（先生がいわれた。過ちをしても改めない、これを本当の過ちという）。確かにミスをした結果は変えられないけれど、ミスを踏まえて次の行動を改めることはできます。私にはこの言葉がとても響きましたし、心にとどめたい言葉だと思いました」

彼らが普通に過去の体験談を話しても、ただの思い出話、雑談という感じで終わってしまう可能性があります。一方で、『論語』の一節だけを読み上げてもいまいちピンとこないでしょう。

ところが、全員が『論語』を読んでいるという前提で、個人的なエピソードにからめて一節を引用すると、納得度と共感度が高まります。

「わかる、わかる！」
「昔からこういうことを語っていた人がいたんだ！」

場の全員がそう感じることで、古典のテキストが自分たちのものになったように感じられ、ちょっとした上昇気流に乗ったような高揚感を味わえます。**高揚感をもたらしてくれるのが、古典の教養というものなのです。**

私は、この特別授業を〝論語祭り〟と名づけました。最初にそれを聞いたときの学生たちの反応は「論語で祭りになんてなるの？」という猜《さい》疑《ぎ》心《しん》に満ちたものでした。むしろ、「論語を読んでエピソードを話すなんて大変そう」と負担感を強く感じていたようです。

けれども、実際に行ってみると、どの学生の表情も生き生きとしていて、口々に「今日の論語祭りは楽しかった」という声が上がり、いかにもお祭りを楽しんだ雰囲気になっていました。

これに味を占めた私は**『方法序説』**★31をテキストにした〝デカルト祭り〟、『学問のすゝめ』で〝諭吉祭り〟という具合に、次々と古典祭りを仕掛けるようになったのです。

ところで、「祭り」という言葉には、にぎやかにみんなで楽しむという意味だけでなく、

★31 **方法序説**（ほうほうじょせつ）
1637年に発表されたデカルトの著書で、元々500ページ以上ある論文集の序文を指している。
（PD-US）

偉人の霊をなぐさめる「祀《まつ》り」の意味も込めています。

私たちが大学の授業で〝論語祭り〟を行っているとき、「世界中で今ここが論語について最も熱く語り合っている空間である」「きっと孔子の霊も喜んでいるだろう」との実感があります。

今生きている人間を神格化して崇めたてまつるのは、いささか危険な発想です。けれども、孔子やデカルト、ニーチェのように、すでに亡くなっている思想家や哲学者をちょっとしたイベント感覚でお祀りするのは問題ありません。古典祭りというイベントを設定することで、私たちは古典について熱く楽しく語り合えるようになります。

友人や同僚などと古典について語り合う時間をつくってみてはいかがでしょうか。

Method 30

教養があれば会話が盛り上がる

さて、ここからは会話を通じて学びをアウトプットしていくときのポイントについて考えていきましょう。

会話を円滑にさせるテクニックの一つに「あいづち」があります。

あいづちは漢字で「相槌」と書きます。鍛冶職人と助手が向かい合って、交互に槌を振るう動作が語源とされています。つまり、鍛冶職人が槌を振るうようなイメージで、テンポ良くあいづちを打つと会話は盛り上がります。

ただし、単純に「はい」「その通りですね」と繰り返していたのでは芸がありません。相手の話す意欲を失わせてしまうおそれもあります。

あいづちが上手い人は「例えば、こういうことでしょうか？」などと、具体例を挙げながら、相手の話を広げています。

先日、私は作詞家の**松本隆**★32さんと対談をする機会がありました。対談中、松本さんは「昔の映画が好きです」と話をされたので、すかさず例を出して問いかけてみました。

「松本さんはフランソワ・トリュフォーとかお好きですか？　私は『大人は判ってくれない』という作品が好きなんです」

★32 **松本隆**（まつもと・たかし）
（1949-）「はっぴいえんど」の元ドラマー。作詞家としては日本屈指の売り上げを誇る。

フランソワ・トリュフォーはフランスの映画監督。「ヌーヴェルヴァーグ」と呼ばれる1950年代末から1960年代中盤にかけてのフランス映画の潮流を代表する監督の一人として有名です。

私がトリュフォーの名前を出したのは、なんとなく、松本さんの作詞の世界観とトリュフォーの映画に近しいものを感じていたからです。

すると、松本さんは「それ大好き」と言ってくださり、しばらくトリュフォーの映画談義で盛り上がりました。

他にも、松本さんは中学生のときに**ジャン・コクトー**★33の『恐るべき子供たち』という作品を読み、影響を受けたことを明かしてくれました。私も『恐るべき子供たち』を読んでいるので、作品やコクトーについての話題になり、さらには『恐るべき子供たち』を下敷きにした**萩尾望都**★34さんのコミックに触れたのをきっかけに、萩尾望都さんの作風にも話が及びました。対談を終えた私は、知的な会話を楽しんだ充実感でいっぱいになりました。

松本さんとの対談が盛り上がったのは、お互いに同じ映画や本を体験していたからです。別に詳しく覚えていなくても、「読んだことがある」「少しだけ覚えている」レベルでもいいのです。**知っている知識をあいづちとして提示できれば、それだけで会話の知的レベル**

★33 **ジャン・モリス・ウジェーヌ・クレマン・コクトー**
(1889–1963) フランスの芸術家。詩人、小説家、劇作家、評論家として著名。
(Gallica Digital Library)

★34 **萩尾望都**(はぎお・もと)
(1949–) 漫画家。文化功労者。『ポーの一族』『トーマの心臓』『イグアナの娘』等名作を発表。

は上がるのです。

学びを会話に生かせるようになると「学んで良かったな」と実感できます。つまり、**学びを楽しむためには、あいづちとして学んだ知識をどんどん口にしていったほうがよいのです。**

Method 31

「知らないの？」というプレッシャーも必要

『鬼滅の刃』が大ヒットしたとき、「キメハラ」という言葉がクローズアップされたのを覚えているでしょうか。

キメハラとは、『鬼滅の刃』ハラスメント」を略した言葉であり、『鬼滅の刃』を「見ていないの？」「見ようよ」と押しつける行為全般を意味しています。

『鬼滅の刃』は、確かに社会現象となるくらいのブームとなりましたが、当然ながら一切見向きもしなかった人もいるでしょう。あるいは「コミックを読んだけれどイマイチ乗れなかった」「映画を観たけど、そこまで感動しなかった」という人もいたと思います。

そういう人たちにしてみれば、一方的に『鬼滅の刃』の感動を押しつけられるのは不愉快だったかもしれません。

価値観は人それぞれなのだから、別に『鬼滅の刃』が苦手でもいいじゃないか。流行っているものを押しつけないでほしい。その気持ちはわかります。

しかし、『鬼滅の刃』の映画公開後、まだ観ていないという学生たちに向かって、私はこう言いました。

「流行っているうちにさっさと観に行ってくださいね。これはキメハラですからね」

もちろん「キメハラですからね」というのはジョークです。私は、学生が実際に『鬼滅の刃』を観たかどうかをテストするつもりはなく、観たからといって特に評価するつもりもありません。

ただ、**相手が見聞きしていない、興味がなさそうな情報を出して、ちょっとした圧（プレ**

ッシャー）をかけ合う行為には学びの上で意味がある、と思います。あえて名づければ、「○○ハラ」の手前レベルの「○○プレ（○○プレッシャー）」という感じでしょうか。

例えば、友だちと話しているときに、「そのエピソードって、**カフカ**★35の小説と雰囲気が似ているよね」と言われたとします。

そのとき、自分がまったくカフカの小説を読んだ経験がなかったら、「カフカの小説って、いったいどういう雰囲気なんだろう？」「読んでないからイメージがわからない」とプレッシャーを感じます。

このプレッシャーを「インテリぶってカフカを持ち出すなんてうっとうしいな」と不愉快に受け止めるか、「じゃあ、せっかくだからカフカ読んでみようか」と行動に移していくか。どちらを選ぶかによって人生は大きく変わってきます。

相手からかけられたプレッシャーに反応して、とにかく知らないものには接してみることが重要です。

ある時期、私がテレビ局で番組の収録に参加すると、居合わせた人たちが口々に「不時着、不時着……」と語っていたことがあります。あまりに意味不明な会話だったので、思わず尋ねました。

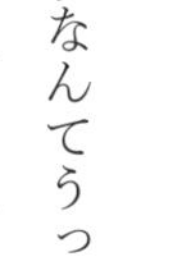

★35 フランツ・カフカ
（1883–1924）生前に発表された著作は7冊のみだった。死後に高く評価された作家の一人。
（http://www.tkinter.smig.net/Stuff/Kafka/index.htm）

「すみません。その不時着って、いったい何ですか？」

「齋藤先生、知らないんですか？『愛の不時着』★36、今流行っている韓国ドラマですよ」

「へー。で、それってテレビで放映しているんですか？」

「Ｎｅｔｆｌｉｘですよ」

私はその日、帰宅すると即座にＮｅｔｆｌｉｘに登録し、『愛の不時着』を一気に視聴。翌日から何食わぬ顔で「不時着がさー」と語るようになりました。

そして、まだ見ていない人がいたら、「え？　知らなかった？　ごめん。じゃあ、ネタバレになるからあんまり細かい筋は言えないんだけど、面白いんだよ」などと語るくらいになったのです。

プレッシャーをかけすぎた結果、友だちから嫌われては元も子もありませんから、そのあたりはさじ加減に気を付けてほしいのですが、「知っているよね？」と軽くプレッシャーをかけ合い、お互いに見聞を広げていくのはとても楽しい行為です。

知らないものに接した結果、肌に合わなかったら、「自分には価値がわからなかったけど、いい経験ができた」と感謝すればよいのです。

★36　愛の不時着
韓国のTVドラマ。Netflixで2020年から配信。北朝鮮の軍人と韓国の財閥令嬢のラブストーリー。

Method 32

名言をもじって遊ぶ

プレッシャーをかけ合うだけでなく、学びを生かしてユーモアのある会話のアウトプットを楽しんでみましょう。

そもそもユーモアや笑いは、学びが共有されているときに成立するものです。

特に、ジョークの基本は「もじり」「アレンジ」です。有名な言葉を、少し変えてバカバカしい発言をするだけで笑いが起きます。

つまり、**古典の名セリフを共有するだけで、ジョークを楽しむチャンスが格段に増える**仕組みになっているのです。

例えば、誰かが「とんこつラーメンを食べるべきか食べないべきか、それが問題だ」と言ったとします。

何も知らない人は、「とんこつラーメンを食べるかどうか迷っているんだな」と思うだけです。別に面白いともなんとも思わないはずです。

しかし、シェイクスピア作品を知っている人なら、『ハムレット』の超有名なセリフ「生きるべきか死ぬべきか、それが問題だ。(To be, or not to be, that is the question.)」をもじった発言だと気づきます。そして、ちょっとクスッとするはずです。主人公ハムレットのシリアスなセリフに、「とんこつラーメン」という、なじみの食べ物を当てはめているからです。

こういう「もじり」は世界共通の笑いであって、先ほど例に出したセリフで言うと英語で「TV or not TV, that is the question.」というのがあります。ダジャレのセンスが利いていますね。

イギリスで新型コロナウイルスワクチンの接種が始まったとき、接種をした二人目の男性が「ウィリアム・シェイクスピア」という名前だったことから、ネット上ではシェイクスピアの作品名やセリフをもじった投稿が相次いだというニュースがありました。

「ワクチン接種を受けた二人目がウィリアム・シェイクスピアという名前だったからってみんな大騒ぎしてるけど、『から騒ぎ』だと私は思うな」

「終わりよければすべてよし」

「これぞ『冬物語』」

これらは、『から騒ぎ』『終わりよければすべてよし』『冬物語』というシェイクスピア作品のタイトルを知っているからこそ笑えるジョークです。

このように、**古典の名作を読めばたくさんの人とユーモアを共有でき、日々が楽しくなるのです。**

Method 33

「質問力」も重要なアウトプット

コミュニケーションを通じて自分の芯をつくる上では、**人の話を「聞く」スキルも重要な意味を持ちます。質問も立派なアウトプットの一つです。**

よく講演会やセミナーなどで、最後に「ご質問はありますか?」と水を向けると、会場がシーンとなってしまうことがあります。

特定の人を指名して質問がないかを尋ねても「大丈夫です」という答えが返ってきたりします。

私に言わせれば何が大丈夫なのか、さっぱりわかりません。人の話を聞けば、何か必ず思うところがあるはずです。「期待に反して面白い話だったな」「こういう話は初耳だったな」など、感想は何でもかまいません。

そうやって感じたことを素直に質問すればよいのです。

「読書が大事だということでしたが、具体的にはどんな読み方をすればいいでしょうか」

「初めて聞く内容でした。このエピソードは、どうやって調べたのでしょうか？」

こういった質問をすれば、相手からさらに情報を引き出すことができます。質問をきっかけに、自分にフィットする具体的なノウハウが手に入る可能性もあります。つまり質問が上手い人ほど、自分を常に進化させているのです。

そもそも質問によって知を探求するスタイルは、古代ギリシャのソクラテスが行った

「問答法」[★37]から始まっています。ソクラテスから質問をたたみかけられることで、人は「自分はわかったつもりになっていたけど、実は何もわかっていなかった」と気づかされます。**ソクラテスは、この「わかったつもり」をやめて疑問を問い続ける行為の大切さを人々に説いていました。**

では、どうすればいい質問ができるようになるのか。

ポイントは大きく二つあります。一つは、**人の話をメモしながら聞くこと。**このとき、**相手の発言をまとめるだけでなく、自分が聞きたいこともメモしておきます。**質問は三つくらい書き出しておくのが理想です。

そしてもう一つは、**厳選した質問をすること。**質問を三つメモしたとしても、それらをすべて聞いてはいけません。三つの中からベストな質問を選んで投げかけるのです。思いついた質問の中には「そこまで重要ではない質問」「少し失礼にあたる質問」なども含まれています。けれども一つに厳選すれば、バランスの良い的確な質問をすることができます。

もちろんこのテクニックは、講演会やセミナーだけでなく会議や上司との面談などにも応用できます。

★37 **問答法**（もんどうほう）
対話を重ね、問答によって相手の無知を自覚させることにより、真理の認識に導く方法。

Method 34

レビューではネガティブなコメントを避ける

現代人は、周りの人との対話を通じてアウトプットをする以外にも、SNSを通じて発信する機会も多いことでしょう。

2章でもお話ししたレビュー空間は、インプットの場であると同時にアウトプットの場でもあります。

まず大前提として、レビューをするときにはポジティブなコメントをするのが基本です。「この本は面白い」「この映画は必見です」「この音楽の世界にハマりました」など、肯定的なコメントだけを書き込むのです。

もちろん本を読んだり映画を観たりしたときに「ちょっとイマイチだったな」「自分はそこまでのめり込めなかったな」と感じることはあります。

友だちとの雑談の中で「うーん。あんまり好きじゃないかも」などと言うくらいならまだよいでしょう。しかし、ネガティブな感想をSNS上で発信するのはNGです。**ネガティブな感想を持っても、あえて全世界に発信する必要はありません。**黙ってそのままスルーすればよいのです。

ネガティブなコメントをすると、作品をつくった本人を傷つけるだけでなく、その周囲にいる家族や友人、ファンの人までも不快にさせます。つまり、余計な軋轢《あつれき》を招くだけなのです。

そもそもネガティブなコメントをする人は、内容を誤解しているケースが多いものです。私は、仕事でたくさんの書評を読んできましたが、批判的な意見ほど的外れなものである傾向があります。

なぜズレた批判になるのかというと、「批判して相手をおとしめたい」「自分を優位に見せたい」という目的ありきで本を読み、一方的な思い込みで解釈しているからです。

クリエーターに対抗心を持ってこき下ろそうとするのは非生産的な行為です。それだけでなく、自分の解釈のズレが明らかになるため、自分の評価を下げることにもつながります。

特に**自分の思い込みをSNSで発信するのは、自分の低俗さを全世界に発信しているに等しい行為です。**

とにかくレビューは褒めに徹するべきです。どんな作品でも一つくらいはいいところを見つけて褒めることは可能です。

褒める場合は、たとえ間違った解釈をしていても救われます。褒めるコメントは、受け手の気持ちをポジティブにさせます。送り手も受け手もポジティブな気持ちになれば、楽しいレビュー空間が保たれるのです。

Method 35

点数をつけるときの注意点

レビューサイトでは、作品について採点する方式が採用されています。★1〜5の5段階で評価するアマゾンのレビューなどが代表的です。

私自身は、この手の採点形式のレビューが苦手です。86ページでお話しした映画評の仕事でも、担当編集者から「作品を5段階で評価してください」というオーダーを受けたときには、非常に困惑しました。

もちろん、一つひとつの作品について「最高だった！」「そこそこの面白さだった」という感想の違いはあります。「最高だった！」作品に5点をつけるのは問題なくできます。

しかし、他人様が心を込めてつくった映画に1点や2点をつけるのは失礼すぎて無理です。私は、映画を撮るということがどんなに大変な作業なのかを知っています。実際に映画に携わった経験がなくても、作品のラストに流れるエンドロールで表示される人名の多さを見れば、嫌でもわかります。

映画は、多くの人が力を合わせてようやく完成を見ます。しかもコロナ禍では上映延期を余儀なくされた作品もたくさんありました。

そんなふうに多くの困難を経て公開される映画に、部外者である私がどうして1点をつけられるでしょうか。

私は担当編集者に相談しました。

「5段階で評価をつけるというお話ですが、これから公開される映画に1や2をつけることはできません。正直に申し上げると3点をつけるのも心苦しいので、全部4点か5点で評価することになりますが、それでもいいですか?」

それに対する編集者の返事はこうでした。

「齋藤先生の映画愛はよく伝わりました。ただ、3点は『十分観に行く価値がある』という評価ですので、3点まではつけていただいて大丈夫です。ぜひお願いします」

とても丁寧な言葉づかいでしたが、「4点と5点の評価だけではレビューが成立しにくいので、せめて3点まではつけてほしい」というメッセージが込められているのはよくわかりました。

というわけで、最終的には苦しい思いをしながら評価をつけました。できることなら、採点は避けたいという気持ちでいっぱいです。

前述したように、本を読んだり映画を観たりしたあと、あえてネット上でネガティブなレビューを発信する必要はありません。採点についても同じで、「好みと合わなかったな」と感じたときは、けなすのではなく黙ってスルーすべきです。

アマゾンなどでレビューをするときにも、インチキ商品の告発は別として、あえて低評価はつけず、とにかく高評価を心掛けてください。

Method 36

私が映画を評価するときのポイント

なお、**作品を評価する場合には、自分なりの評価のポイント、楽しむための基準をつくっておくのが望ましいでしょう。**

例えば、私にとって「いい映画」の第一のポイントは画《え》の美しさです。

作品中の一場面を一時停止したとして、その場面を額に入れて飾っておきたいと思える、そんな場面が多い映画を高く評価しています。

最近は、ヒットしたテレビドラマを映画化した作品をよく目にするようになりました。ヒットしている作品も多く、私も鑑賞して楽しむことがあります。ただ、こういった映画の魅力はストーリーやキャラクターの面白さにあります。

例えば、2020年にも大人気だったドラマ『半沢直樹』を映画化したとしましょう。きっとヒットすると思いますし、私も映画館にかけつけるでしょう。そして、物語の内容に大満足すると確信しています。

けれども、映画『半沢直樹』のワンシーンを切り取ってリビングに飾っておきたいかというと、そういう作品とはちょっと違うと思います。別にテレビドラマを映画化した作品が悪いのではなく、私にとって映画的な作品ではないということです。

その意味では、テオ・アンゲロプロスというギリシャ人の映画監督が手がけた『霧の中の風景』という作品などは、非常に映画的な作品と言えます。

『霧の中の風景』は、12歳の少女と5歳の弟が、会ったことのない父を捜し求めてギリシャのアテネからドイツを目指して旅をする物語です。

この映画では、特に雪が降っているシーンが印象的です。ギリシャでは雪が降ることは珍しく、人々は外に出て立ち止まったまま空を見上げ、雪が降るのを飽きずに眺めています。どの場面を切り取っても、飾っておきたくなるような美しさなのです。

最近では、『燃ゆる女の肖像』という作品の美しさが印象に残りました。この映画は、18

世紀のフランス、ブルターニュを舞台に、意に反して結婚を迫られている貴族の娘と、その娘の肖像画を依頼された女性画家との関係が描かれています。アートの力によって引き起こされる女性の自立が表現されている作品でもあり、美しいシーンの連続でした。

美しい場面に関連して、私が映画に期待するもう一つの重要なポイントは「贅沢さ」の要素です。

例えば、2019年にカンヌ国際映画祭で最高賞であるパルム・ドールを受賞した『パラサイト 半地下の家族』という韓国映画があります。貧しい生活を送っている一家があり、あるとき長男がIT企業の社長である大富豪の家に家庭教師として雇われることになり、続けて妹、父、母が社長宅にもぐりこむのに成功し……というストーリーです。

役者さんの演技もストーリーも面白い作品でしたが、私が特に心動かされたのは、洪水に見舞われて水浸しになった半地下の家でトイレから逆流した水が噴出しているシーンです。滑稽でありながら、なんともダイナミックでバカバカしいのです。バカバカしい描写にお金を注ぎ込む、映画の作り手の過剰なエネルギーに圧倒されてしまいます。

もちろん、起伏の少ない低予算の映画にもいい作品はたくさんありますが、私は映画にあきれるくらいの贅沢さ、ダイナミックさを求めてしまう傾向があります。

別に、私の基準を真似してほしいわけではありません。ただ、基準をつくっておくと、評価がブレずに安定する効果はあります。

Method 37

他の人のレビューを褒める

SNS上で発信する際には、前述した「ポジティブなコメントを書く」に加えて「他の人のコメントを褒めつつコメントする」という方法があります。

私がYouTubeのコメント欄を見ていたとき「外角のスライダーに手を出して空振り三振」というハンドルネームでコメントをしている人がいました。ちょっとクスッとしてしまう、ユニークな名前です。こういう人には無条件でグッドボタンを押したくなります。

コメントが面白い人には、コメントで応えるのも一興です。

例えば、『鬼滅の刃』が大流行したとき、ＧＡＣＫＴさんが鬼舞辻無惨《きぶつじむざん》（主人公の最大の敵であるラスボス）のコスプレをして、映画の主題歌である『炎』をアカペラで歌う動画が公開されました。

この動画が面白かったのは、ＧＡＣＫＴさんのコスプレと歌唱が一級品だったからだけでなく、コメント欄にも秀逸なコメントがあふれていたからです。

例えば、ある人が「低評価押したやつ、絶対鬼だろ」と書き込んでいました。「座布団一枚！」という感じのコメントです。

「歌う前に楽器隊全部殺してて草」と書き込みをしている人もいました。実はもともと楽器隊がいたのに、鬼舞辻無惨が全員殺して歌っているというストーリーを勝手につくっているのです。

アカペラだから最初から演奏者がいるはずもなく、ＧＡＣＫＴさんが一人で歌っていて当然なのですが、鬼舞辻無惨というキャラクターを知っている人には、思わず納得の指摘です。

鬼舞辻無惨は、気に入らない部下を容赦なく殺してしまう超パワハラな人物。楽器隊を全員殺したという設定は、「いかにもありそう」と思わせます。

こういった秀逸なコメントには、他の人が「爆笑した」「天才!」「上手い!」などと絶賛して盛り上がっています。それを見ているだけでも「いいものを見たなー」と気分が高揚します。

他人のコメントに対して褒めコメントを付けると、一種の祭りのような状態が生まれます。たった一人で情報を見ているときよりも、楽しさも数倍増しになるのです。

Method 38

ランキング形式で紹介する

SNSなどで自分の趣味や研究をアウトプットするとき、ランキング形式で記事をつくるのも楽しい試みです。

ラーメンが大好きだから、SNSでラーメンに関する研究の成果を発信する。これは非常に良い取り組みだと思います。

ただし、「○○市に美味しいラーメン屋さんがあった」「□□のラーメンを食べた」とシンプルに書くだけではオリジナリティにも面白みにも欠けます。

大切なのは「なぜ自分が書いているのか」という必然性です。そのためには、発信の中に自分ならではのセンスを反映させる必要があります。

では、どうやって情報に自分のセンスを付加させればよいのか。**一つの方法は、ランキング形式で発信することです。**

例えば、「私が食べた最高に美味しいラーメンベスト10」というタイトルで記事を書くとしましょう。ベスト10を決めるとなると、最低でも30〜40くらいのラーメンを食べないと格好がつきません。

「実際に私が100のお店でラーメンを食べた中から、厳選してベスト10を選びました」

このように宣言すると、ランキングに説得力が生まれます。

というのも、ベスト10を発表する場合、「なぜそのラーメンを選んだのか」という理由を説明する必要が生じます。この理由の部分に、個人的なセンスを発揮する余地があるからです。

説明が面白ければ、読者からも反響を得ることができるでしょう。

例えば、自分の記事を読んで「そのラーメンを食べてみよう」と思う読者が現れる可能性もあります。情報発信には責任が伴うことを忘れてはなりません。

あるいは、ラーメン好きの仲間とランキングをめぐって議論ができるかもしれません。

「やっぱりあのラーメンは堂々の1位だよね！」

「あのお店はどうしてランク外なの？」

などと話し合うのも楽しい体験です。

もしくは「〇〇というお店があるので、ぜひ食べてみてください」という新たな情報が寄せられる可能性もあります。

つまり、ランキング形式で情報発信をすると、インプットとアウトプットの真剣度が高まる効果があります。そして、次の記事を書くモチベーションにもつながるのです。

Method 39

三つの引用文で紹介する

ＳＮＳなどに本の感想文を書くときには、「心にグッとくる文章を見つけ出す」という意識で読み始めましょう。

「素敵な表現だな」「これは感動した！」という箇所に出会ったら、あとで参照できるようにペンで線を引いたり囲ったりしておきます。

１冊読み終えたら、次にピックアップした文章だけを改めて見直し、特に良かった文章を三つに絞り込みます。

面白い本を読んだときには、三つに絞り込む作業が大変に感じられるかもしれません。「あれもこれも捨てがたい」と迷う気持ちはわかりますが、思い切って選んでください。

できれば、この三つの文章は適度に間隔が空いているのが理想です。本の前半で一つ、中盤で一つ、後半で一つというイメージです。全体から三つの文章を選ぶことで、その本

について全体の内容を語ることができます。

さて、三つの文章を選んだら早速感想文を書き始めます。まずは三つの文章を引用します。文章をそのまま書き写すということです。

引用するときには、その文章をカギ括弧でくくり、引用したことがわかるようにページ数などを明記します。そして、引用した文章に対して自分の感想を添えます。

「この一文を読んだときに涙腺が崩壊しました」
「ここに著者の鋭い視点が表れていました」

など、その文章を読んで思ったことを素直に書けばよいのです。これだけで、立派な感想文のできあがりです。

もっと言うと、自分のコメントがなくても、引用文を提示するだけでもレビューは成立します。セレクトした時点で、すでに自分独自のセンスが反映されているからです。

『西郷南洲遺訓』（岩波文庫）という本があります。この本には、佐藤一斎という儒学者が書いた『言志四録』という本の中から、西郷隆盛自身が書き写した１０１の名言も収められています。

つまり、『西郷南洲遺訓』の中の『手抄言志録《しゅしょうげんしろく》』は西郷自身が書いたものではなく、西郷がセレクトした言葉です。それでも私たち後世の読者は、西郷隆盛の人間性を感じながらこの文章を読んでいます。

こういった例からもわかるように、ルールを守った上での引用文の提示は、オリジナルのレビューとして認められるのです。

Method 40

プレゼンの方法を工夫する

本のレビューは、何も文章にして書くだけとは限りません。

私は、自分が読んだ文学作品について学生にプレゼンをしてもらう際、「動画にしてくださ い」と課題を与えることがあります。

すると、さすが大学生は単にあらすじをなぞっただけの動画ではなく、受け手の興味を喚起する、映画の予告編のような立派な動画を製作してくれます。

なかにはアニメが大好きな学生もいて、自分でパソコンを駆使してオリジナルのアニメを製作してくるケースもあります。

自分でイチから動画をつくるので、キャラクター同士のからみをアレンジするなど、自由自在な設定でエンターテインメントに仕上げています。なおかつその学生は動画作製のプロセス自体も動画に記録しており、視聴した人は「アニメってこうやってつくるんだ！」と興味津々の様子でした。

動画以外にも、ショートコントをつくってもらうチャレンジを課すこともあります。「ショートコント　論語」「コント　**カラマーゾフの兄弟**[★38]」など、原作を読み込んだ上で内容に基づいたコントの台本を書き、実際にみんなの前で演じてもらう取り組みです。

あるコンビは、人気漫才コンビ・**ミルクボーイ**[★39]にならって**「リターン漫才」**[★40]の設定で文学作品を紹介する漫才をしてくれました。

ただ文学作品をプレゼンしても、ただミルクボーイの漫才を真似しても、そこには特にオリジナリティはありません。けれども、「ある文学作品をミルクボーイ風の漫才で紹介す

★38 **カラマーゾフの兄弟**
ロシアの作家、ドストエフスキーの最後の長編小説。世界の文学に多大な影響を与えた。

★39 **ミルクボーイ**
内海崇と駒場孝のお笑いコンビ。漫才日本一を決定するM-1グランプリ2019チャンピオン。

★40 **リターン漫才**
駒場の振るテーマに対して、内海が偏見あふれる肯定と否定を交互に繰り返していく漫才。

る」となったとたんに独自の表現となります。

そもそも、普通のプレゼンをただ関西弁に置き換えただけでも、親しみやすさやユーモラスな感じが生まれるから不思議です。

私は『ソクラテスの弁明』を関西弁に翻訳した本を読んだことがあります。『ソクラテスの弁明』はプラトンがソクラテスの裁判の模様を描いたものであり、岩波文庫に収録されているような大真面目な哲学書です。

けれども、言葉づかいが関西弁になっただけで、断然読みやすくなっていることに驚きました。まるでソクラテスが大阪のオッチャンのように感じられたのです。

このように、**伝え方をアレンジすると発表にオリジナリティが生まれ、なおかつグッと親しみやすくもなります。**

一度『カラマーゾフの兄弟』のコントをした人は、もう『カラマーゾフの兄弟』を絶対に忘れないでしょう。つまり、レビューやプレゼン方法を工夫すると作品についていつまでも話せるようになるのです。

Method 41

目標を立ててアウトプットする

読んだ本についてアウトプットするときには、目標を設定してみるとよいでしょう。

編集者・著述家である**松岡正剛**★41さんには「千夜千冊」という有名な書評シリーズがあります。これは、もともと2000年にインターネット上で連載が始まったもので、「同じ著者は二度取り上げない」というルールのもと、幅広いジャンルの本を取り上げるという試みでした。

当初は1日1冊のペースで更新が続けられ、2004年に1000冊（夜）を達成。以降も連載は続き、1セット10万円の全集が2000セット売れるなど、大きな話題となりました。

「千夜千冊」には刺激的な本が多く取り上げられていて、私も大いに勉強になりました。松岡さんの知性があってこそ成立した企画だと思います。

★41 **松岡正剛**（まつおか・せいごう）（1944-）編集工学研究所所長、ISIS編集学校校長、角川武蔵野ミュージアム館長。

ただ、私たちにも「1000冊を選んで紹介する」という目標設定は真似できるはずです。「1000冊」という目標を設定することで、人は到達に向けて努力しようとするものです。

1000冊が途方もない数字だと感じられる場合は、とりあえず100冊程度を目指してみましょう。書店では、夏の季節になると「新潮文庫の100冊（新潮文庫）」「ナツイチ（集英社文庫）」「カドフェス（角川文庫）」といった定番の文庫フェアが開催されます。

それをすべて紹介するという目標を立てるのはどうでしょう。新潮文庫はその名の通り100冊。他も80〜120冊程度のラインナップとなっていますから、チャレンジするにはもってこいです。

私も高校生の頃、「新潮文庫の100冊」をすべて読むという目標を立てて達成した記憶があります。100冊を読んで紹介すればそれなりのボリュームとなります。

松岡さん以外にも、独自のアプローチで本を紹介している人はたくさんいます。自分が好きなやり方を見つけて参考にすると、軌道に乗せやすくなります。

紹介文を書いていくうちに、自分の中で本の内容を消化して提示するというコツが身に付きます。

いったんこの型を身に付けてしまえば、ラクにアウトプットできるようになります。

Method 42

締め切り効果を活用しよう

締め切りには、学びを深めアウトプットを促す絶大な効果があります。**充実した学びを続けたいなら、まずはアウトプットの締め切りを設定すべきです。**

ただし、仕事では締め切りを守ることができるけれど、自分のアウトプットに締め切りを設定したときにはついついサボってしまう人もいることでしょう。

こんな人は、**目標と締め切りをSNSなどで宣言すると効果的です。**

例えば、「1か月後の○月○日までに『カラマーゾフの兄弟』を読破して感想を書きます」「夏休み中に10冊の本を読みます」などと宣言します。

総ページ数から逆算して「1日30ページ」などと細かく目標を設定するのもよいでしょう。

実際に読み始めてからは、「今日は○ページまでクリアしました」「明日からはいよいよ中巻へと突入します」のように逐一状況を報告していきます。

別にこれといった反響がなくてもかまいません。重要なのは、一里塚をクリアしていくようなイメージで、確実に一歩一歩目標を達成していくことです。

私が子どもだった頃は、手塚治虫さんや藤子不二雄さんなどの売れっ子漫画家が、殺人的なスケジュールの中で名作を次々と発表していました。

週刊誌の連載などは、1分1秒を争う状況で執筆していたはずですが、締め切りがあったからこそたくさんの作品が誕生したのは間違いありません。

私も本を刊行する過程で、校正作業を行う機会がしばしばあります。編集者の中には、締め切りを提示しないまま校正紙を送付してくる方がいます。そんなとき、私は必ずと言っていいくらい作業をサボってしまいます。

締め切りがないことに甘えて、ついつい後回しにしてしまうのです。本を刊行することには情熱があるほうだと自負している私ですらサボってしまうのですから、いかに締め切りの設定が重要かがわかります。

締め切りを設定すれば、そこから計算して「今日は○○をしなければ」と実際の行動に移せるようになります。

私は学生たちに「毎週月曜日の午前中にエッセイを提出する」という課題を課すことも

あります。毎週エッセイを書くのは大変ですが、みんな必死になって「面白かった本」や「友だちから聞いた面白い話」などのネタを拾って、どうにかして毎回の提出をクリアしています。

締め切りがあることで「この1週間を充実させて生きよう」というアンテナが働くようになります。卒業した元学生たちの話を聞くと「1年間続けてきて良かったです」とほとんどの人が言ってくれます。

前向きに学ぶためにも、ぜひ締め切りを上手に活用してみてください。

次の4章では、インプットの中でも読書に特化してお話ししていきます。

第4章

読書が自分の芯をつくる

Method 43

街のリアル書店に行ってみよう

読書で学ぶにあたって最初に考えたいのは、本をどこで買うかという問題です。本を手に入れる際は、ネット書店に頼るばかりでなく、街のリアル書店にも足を運ぶのをおすすめします。

書店の魅力は、店内で棚を見ているうちにネットでは選ばないような本と偶然出会える点です。

ネット書店でも、過去の閲覧履歴や購入データをもとに関連書籍を表示する機能があり、確かに参考にはなります。しかし、街のリアル書店ではさまざまな分野の本を実際に手に取ることができるため、予期せぬ出会いが起こりやすいのです。

もっと言うと、**できればいろいろな書店を使い分けるのが理想です。** 書店によって売れ筋の本や、書店員さんが売りたい本は違います。例えば、ビジネス街にある書店と郊外の大型商業施設にある書店とでは、品揃えが大きく異なります。

細かく言えば、同じビジネス街でも東京の丸の内と大手町では、本の並びが結構違っているのが面白いところです。書店ごとのクセの違いを味わえるようになると、書店に行くのがもっと楽しくなります。

ところで、書店に行くと便意を催すという現象をご存じでしょうか。これについては、かなり以前から「紙やインクなどの匂いが刺激になっている」「条件反射である」などさまざまな説が唱えられています。実際に検証が行われたことがあるものの、今でも正しい説は確立されていません。

ただ、私が面白いと思ったのは哲学者の**土屋賢二**★42先生がコラムで主張されていた説です。それによると、書店で便意を催すのは本の1冊1冊に著者の怨念がこもっているから。なかなか買ってもらえない状況に恨みを抱えた大量の売れない本が「俺を買ってくれ」と叫び、その叫びが書店を訪れた人の腸を刺激するため便意を催してしまうというのです。

私はこの文章を読んで爆笑したと同時に、書き手の一人として「あり得る話だな」とも思いました。

書店に行くと、日々膨大な数の新刊書が入れ代わっていてめまいがしそうになります。

★42 **土屋賢二**（つちや・けんじ）
（1944-）お茶の水女子大学名誉教授。『ソクラテスの口説き方』など哲学書やエッセイ多数。

これだけたくさん本がある中で自分が書いた本が売れるなんて、奇跡的な出来事だと思うくらいです。

私からお伝えしたいのは、書店に行ったらせっかくなので1冊くらいは本を買ってほしいということです。本の怨霊に対するお祓《はら》いだと思っていただければ嬉しいのですが、いかがでしょうか。

Method 44

本を買ったらカフェに行こう

せっかく本を買っても、忙しくてなかなか読めない人は多いことでしょう。そういう場合は**時間をかけて読もうとせずに、とりあえず1冊20〜30分くらいでざっとチェックしましょう。**多忙な人でも20分くらいの時間は捻出できるはずです。

おすすめなのは、本を買った帰りにカフェに立ち寄って読む方法です。

そもそも読書欲が最も高まっているのは本を買ったそのときです。このモチベーションを上手に活用するのです。まさに鉄は熱いうちに打て、です。

スーパーなどで鮮魚を買っても、そのまま放置していたら腐ってしまうだけ。ですが、新鮮なうちに内臓を処理し、三枚に下ろして干しておけば、時間が経っても美味しくいただけます。

魚と同様、本も新鮮なうちに頭に入れてしまうのがベストです。20分でもパラパラと最後までチェックしておけば、大まかな内容がつかめます。後で読み返すときも断然ページの進みが速くなるのです。

例えば新書の場合は、まず「はじめに」と「おわりに」に目を通し、5章立てなら3、4章あたりから先に読むと効率的です。

というのも、1、2章の前半部分は、背景の説明や単なる前置きの記述が多いからです。後半を先に読んだほうが本全体の主旨をつかみやすくなるわけです。

なお、**ページを流していくときの感覚は、書面にサーチライトを当てるようなイメージです。**特に心に引っかからないページは3秒くらいでスーッと通り抜けます。

その中で、心が動かされる箇所に出会ったら、少し立ち止まって30秒くらいじっくり味わいます。

後述するように、三色ボールペンで線を引いたり囲ったりするとなおよしです。本の中盤から終盤に線が引いてあると、一通り読んだという実感が得られます。この読み方に慣れてしまえば、1章から全体に目を通してもちょうど30分くらいで1冊を読了できます。

とにかく**感覚を研ぎ澄まし、「ときめくページ」を直感的に判断するのがポイントです。**読書にメリハリがつきますし、むしろ時間をかけて読んだときよりも、内容が記憶に残りやすくもなります。

私の場合は本を購入した直後、3冊くらいを20分ずつ計1時間でチェックするケースが多いです。

あるいは、人との待ち合わせなどで10分くらい時間の余裕があるとわかったときも、すぐさま最寄りのカフェに入ります。たった10分でも本を読んでいると非常に密度の濃い時間を過ごしている実感があります。

チェーン店のSサイズのブレンドコーヒーなら1杯200～300円程度。文庫や新書と合わせて1000円程度でかなり充実した文化的な時間を過ごすことができます。非常にコストパフォーマンスに優れた自己投資と言えます。

Method 45

読書は「三段変速」で読み分ける

一方、小説を読むときには、そこまでせっかちにならず、ゆっくり味わうのが理想です。

小説の場合は、さすがに30分で全体を理解するのは難しいでしょう。最初のページから順を追って読んでいくわけですが、最も大事なのはスタート時です。

小説は読み始めに最もエネルギーを要します。ですから、30分を読書にあてる場合は、とにかく30ページでも40ページでも進められるところまで読み進めておきましょう。いったん登場人物を把握し、物語の世界に入り込んでおけば、勢いがついて高確率で読破できるようになります。

そもそも**小説の魅力は、非日常の世界にどっぷりと入り込めるところにあります。それにより、理屈や前例にとらわれない柔軟な思考を養うことができます。**

非日常の世界に没入するには、登場するキャラクターと自分を重ね合わせる過程が重要です。重ね合わせる過程でキャラクターの振る舞いに共感したり反発したりすることに意味があるのです。

ですから、一度世界に入り込んだあとはじっくり時間をかけて読んでもいいのです。

ちなみに、私の場合は、漫画を読もうとするとなぜか小説よりももっとスローペースになってしまう傾向があります。

その理由を自己分析した結果、漫画の場合はセリフを心の中で発している自分に気づきました。アニメの声優さんになったようなつもりで、一語一語のセリフを丁寧に読んでいたのです。

別に、私の真似をして漫画をゆっくり読めというつもりはありません。ただ、趣味の本くらいは効率からかけ離れた読み方が許されてしかるべきでしょう。

自転車のギアをチェンジするようなイメージで、「情報系の本」「小説」「趣味の本」を三段変速で読み分けるイメージが理想です。

新書は高速ギア、小説は中速ギア、趣味の本は低速ギア。こういった読み分けを意識してください。

Method 46

1週間の中に学びの2時間を組み込もう

読書を習慣化するためには、生活の中に一定の読書時間を確保する必要があります。そこで活用したいのが手帳です。

手帳には二つの使い方があります。一つはスケジュール管理です。手帳に書き込むことで、あらかじめ「書店に行く」「本を読む」「書評ブログを書く」などのスケジュールを予定しておくことが大切です。

私が子どもだった頃、齋藤家では日曜日に外食するパターンが多く、その帰りには必ず書店に寄るのが習慣になっていました。

書店に行くと、父親は必ず本を買い、私も毎回本を買ってもらいます。帰宅したら買ってきた本を開き、思い思いに買ってきた本を読んで過ごしていました。つまり、日曜日は外食→書店→読書というスケジュールが確立されていたのです。

今、コロナ禍になって以降、私たちの休日の過ごし方は大きく変化しました。遠くに旅行をしたり、人が大勢集まる場所に行ったりするのはなかなか難しくなっています。

ただ、休日に近所の書店に行き、近くのカフェで過ごすくらいならできないことはありません。2時間の外出時間をつくり、書店で本を買い、カフェで買った本を読むという行為をセットで予定するのです。

もちろん、ネット書店で買った本を自宅で読んでもかまいませんが、外出をすることでスケジュールにメリハリがつく効果があります。気がついたら買った本をカフェで読んでいる。そのレベルに達したらこっちのものです。

もし1週間の中で、読書の2時間が確保できないとすると、その人は相当不自由な生活を送っていると言えます。

家族の都合もあるからなかなか自由な時間を確保できない。その主張もわかりますが、自分の芯をつくるためになんとか努力していただきたいところです。

本を買ってカフェで読む。最初は義務であるかのように取り組んでいると、次第に習慣化していきます。そのうち、休日は書店に行かないと落ち着かない気分になってきます。とにかくその状態を目指してください。

Method 47

三色ボールペンを活用して読む

肝に銘じる、という言葉があります。「心に深く刻み込んで忘れない」という意味の慣用表現です。

読書をするときには、まさに自分の心に言葉を彫り込むことが重要です。彫り込まれた言葉はいつまでも記憶に残ります。そして必要な場面で言葉を発することもできるわけです。

心に言葉を彫り込むには、線を引きながら本を読むのがベストです。

私は、赤、青、緑の三色ボールペンを使い、本に線を引いたり丸をつけたりする方法を提唱しています。

三色にはそれぞれ使い分けがあります。赤は客観的に最重要な部分。読んでいて「これは最重要だ」と思う文章に線を引きます。

例えば、宮本武蔵の『五輪書』★43の場合、「千日《せんじつ》の稽古《けいこ》を鍛《たん》とし、万日《まんじつ》の稽古を練《れん》とす。」

★43 **五輪書**（ごりんのしょ）
武蔵の代表的な著作で、剣術の奥義をまとめたもの。「地・水・火・風・空」の五巻に分かれる。

など、肝となる一文に赤を引きたいところです。

後から読み返したときに、赤を引いた箇所だけ拾っていけば主旨が理解できるような状態が理想です。

青は客観的に重要な部分です。「まあ大事だな」と思う文章に線を引きます。後から青の部分を読むと、あらすじや要約ができるようなイメージです。たくさん引いてもかまいません。

そして緑は主観的に大切な部分です。自分の感覚で「面白い」と感じた文章に線を引きます。思わず笑ってしまったり、「なるほど」と感心したりしたところに自由に引いていくのです。

緑の線は、本筋とは無関係だけど心が動いた箇所、自分だけが面白がっているマニアックな部分を拾い上げる感覚で引くとうまくいきます。

余裕があれば、「驚き」「笑い」「微妙」といった感情を表す顔マークをつくっておき、本の余白に描くのもよいでしょう。後で参照しやすいですし、記憶にも残りやすくなるからです。

線を引くのに慣れてくると、線を引く文章を待ちながら読む意識が生まれてきます。待っているところに、絶好の文章がやってくると「キター！」「よしっ！」という感じでテンションも上がります。
そうやって線を引くと、著者と心が通じ合ったような気分になれるのです。

Method 48

小説はツッコミ読みをしよう

三色ボールペンを活用した読書法の応用として、**本に「ツッコミ」を入れながら読む方法もおすすめです。**

中でも読んでいて最もツッコミを入れたくなるのが小説です。例えば、『ドン・キホーテ』（セルバンテス著、牛島信明訳、岩波文庫）などは、全編ツッコミどころ満載の作品の一つです。

この作品で、主人公のドン・キホーテは「たらい」を貴重な兜《かぶと》だと思い込んだり、普通の娘さんをお姫様だと勘違いしたり、風車を巨人だと思って突撃したりと、とにかくハチヤメチャの限りを尽くします。

それに対して、旅に付き従うサンチョ・パンサがツッコミを入れるわけですが、このツッコミが間違っている場合が結構あるのです。


「おいおい！　それは間違いだって！」

「えー、そんなわけないでしょ！」


そんなふうに、登場人物の言動にツッコミつつ物語に没入するのが『ドン・キホーテ』の楽しみ方なのです。

日本の作品でいうと、中島敦の『山月記』などは、独特の文章表現にツッコミを入れながら読みたい作品です。

物語の主人公である李徴《りちょう》は優秀な官僚でしたが、詩人として活動するために仕事を退職。しかし、うまくいかずに地方官吏として働くことになります。このときの李徴の心情を、中島敦は次のように表現しています。

曾ての同輩は既に遥《はる》か高位に進み、彼が昔、鈍物として歯牙《しが》にもかけなかったその連中の下命を拝さねばならぬことが、往年の儁才《しゅんさい》李徴の自尊心を如何《いか》に傷《きず》つけたかは、想像に難《かた》くない。（『李陵・山月記』、新潮文庫）

「鈍物として歯牙にもかけなかった」は、「バカにしてまったく相手にせずに無視した」という意味ですが、こう言い換えてしまうと味わいが薄れてしまうのがよくわかります。「鈍物として歯牙にもかけない」という表現には高級感と迫力があり、上から目線で周りを見下している様子がよく伝わってきます。中島敦の文章は、こういうキレキレの表現だけで成り立っていて、一つひとつに「こんな表現あるの？」とツッコむだけで無限に味わいが深くなるのです。

あるいは三島由紀夫の『金閣寺』もツッコミポイントが目白押しです。『金閣寺』は実際に起きた金閣寺放火事件をモデルにした作品であり、三島は主人公・溝口が金閣寺に放火するまでの経緯を告白体の文章で描いています。

例えば、物語の中で溝口が女性を抱こうとすると、目の前に金閣が現れ邪魔をするシーン。私でなくても「そんな人いるの？」と思わずツッコミたくなるでしょう。

最終的に、溝口は金閣への放火を決意します。「え？　戦争でも燃えなかったのに、この人が燃やしちゃうの？」とツッコまずにはいられません。

そうやってツッコミを入れながらも物語に引き込まれてしまうのが、三島由紀夫の天才たるゆえんです。

以上をまとめると、良い小説は共通して「クセが強い」と言えます。村上春樹さんの作品も独特の比喩表現を駆使した「春樹節」が特徴的ですし、翻訳書を読んでもすべてに村上春樹さんらしさを感じます。

クセが強い小説のクセが強い人物にツッコんでいると、いつの間にかその人物への愛情が湧いてきます。それはいろいろな人物の存在を受け入れる「寛容さ」につながるのではないか、と私は思います。

ですから、小説を読むときには、どんどんツッコミを入れて、物語に没入することが大事なのです。

Method 49

ベストセラーは流行っているときに読む

41ページでも流行り物に接することの重要性に触れましたが、本もベストセラーになったものはできるだけ読んだほうがいいです。

しかも、ベストセラーはベストセラーになっているときに読んでおくべきです。なぜなら、ベストセラーはそのときの「空気感」を鮮明に反映しているからです。

流行っているときに読むと、そのときの空気感と一緒に脳に定着し、後々まで記憶に残りやすい効果があるのです。

2020年は、新型コロナウイルス感染の拡大が世界を覆い尽くしました。4月に最初の緊急事態宣言が発令され、国民がステイホーム期間を過ごしていた頃、ある1冊の本が、文庫版の刊行から50年以上かけて累計100万部を突破したことが話題となりました。アルベール・カミュの『ペスト』（新潮文庫）です。

『ペスト』は１９４０年代にアルジェリアの港町で起きた感染症の大流行を描いた作品です。この小説の日本語訳が最初に刊行されたのは１９５０年であり、新潮文庫版の発行は１９６９年。ノーベル賞作家であるカミュの代表作として、長らく版を重ねてきました。

この『ペスト』が２０２０年に爆発的にヒットしたのは、コロナ禍の日本と物語の内容が極めて似ていると感じられたからでしょう。

読者はコロナ禍を乗り越えるヒントを過去の文学作品に求めたわけです。そう考えると、『ペスト』を読むべきベストタイミングは２０２０年こそが相応しかったと言えます。

あと何年かしてコロナ問題が終息したときに、『ペスト』は古書店で安く手に入るかもしれません。そのときに読んでも、面白い本ですからきっと心が動かされるとは思います。けれども、２０２０年当時ほどのリアリティをもって読むことはできないはずです。

逆に、２０２０年に『ペスト』を読んだ人は「あのコロナ禍で大変だった２０２０年に『ペスト』を読んだよな」と、いつまでもみずみずしく思い返すことができます。そして、同じように『ペスト』を読んだ人とは、後々まで「あのときベストセラーになった『ペスト』を読んだね」と会話ができます。

つまり、ブームの当時に読んだかどうかで決定的な違いが生じます。これは小説だけでなく『鬼滅の刃』などの漫画本も、ピケティの『21世紀の資本』[★44]といった経済書でも同じです。**ベストセラーは流行っているときにとにかく読んでしまう。これは「ミーハー」の一言では片づけられない賢い読書法なのです。**

Method 50

自己啓発書は「源流本」を読め

ベストセラーの中には「自己啓発書」と呼ばれる分野の本もしばしばランクインしています。

自己啓発書は、自分自身を向上・成長させるための思考法や暮らし方などを説明した本のこと。ポジティブシンキングや感謝の重要性を説いたりする傾向があります。

こういった自己啓発書を読むことにも一定の意味はあります。パラパラと読めば「たしかにその通り」とうなずけることも多く、自分のモチベーションを高めてくれる効果もあ

★44 **21世紀の資本**
フランスの経済学者、トマ・ピケティの著書。2013年に発売されるや世界的なベストセラーに。

ります。

私の教え子にも、自己啓発書を愛読している人はいます。

授業で毎週読んだ本をプレゼンするとき、その学生は自己啓発書だけをひたすら紹介していました。

自己啓発書は似たような教えを授けてくれるので、繰り返し読んでいると習慣として身に付く効果があるのかもしれません。だから「どうせ同じような内容が書いてあるんでしょ」と頭ごなしに否定するのは間違っています。

ただ、別の側面から言えば、自己啓発書は似たような主張を繰り返している分、思想的な深みや教養の深みに欠けるという難点もあります。

読んだときにはテンションが上がるけれど、しばらくすると何も変わっていないことに気づき、また同じような本を手にしてしまう。その点で**自己啓発書は、西洋薬でも漢方薬でもなく栄養ドリンク剤に近いのかもしれません。**

どうしても自己啓発書ばかり求める人は、無理してそこから遠ざかるのではなく、古典的な啓発書を手に取ってみましょう。

例えば、**ナポレオン・ヒル**★45の『思考は現実化する』（きこ書房）という少し厚めの本があり

★45 **ナポレオン・ヒル**
(1883–1970) アメリカの作家。成功哲学の提唱者の一人。『思考は現実化する』は1937年発表。
(PD-US)

ます。これは前向きな熱意を持つことの重要性を説いた本であり、その後の自己啓発書の原典ともされています。

他には、デール・カーネギー[★46]の『人を動かす』『道は開ける』（創元社）などの本を読むと、「だいたい、この本に書いてある内容と同じなんだな」と気づくはずです。

源流とされる古典を読むと、「後に続く本は、ほとんどここから派生したのだから、この本をしっかり読んでおけば十分」という感じになります。

すると、新刊書についてあれもこれもと手を出すのではなく、適度な距離感で接することができるようになるのです。

Method 51

一人の作家にハマる時期をつくる

濃い読書体験をするにあたっては、**一人の作家にスポットを当て、その作家の作品を集**

★46 デール・ブレッケンリッジ・カーネギー
（1888–1955）アメリカの作家。『人を動かす』は1936年発表。

中的に読破する方法がよいかもしれません。

例えば、ロシアの文豪・**ドストエフスキー**[★47]にチャレンジしようと決意し、ドストエフスキー作品に絞って読み続けるのです。

最初は長編を避け、読破しやすい作品から入るのがおすすめです。さしあたっては『貧しき人々』などはいかがでしょうか。初老の小役人と薄幸の少女との間で交わされる往復書簡の形式で書かれた中編小説であり、ドストエフスキーにとっての第一作でもあります。ドストエフスキーが刑務所生活を送っていた頃のドキュメンタリー作品である『死の家の記録』、大文豪となる転機ともなった『地下室の手記』なども外せない名作です。『地下室の手記』は自意識過剰で、社会に恨みを持ちながら地下室で20年近く暮らし続ける男の独白で綴られており、ドストエフスキー作品のカギを握るとも評されている作品です。

こういった比較的読みやすい作品で肩を慣らしたら、いよいよ『罪と罰』『白痴』『未成年』『悪霊』『カラマーゾフの兄弟』といった長編作品に挑んでみましょう。

この手の本格長編を読むときには、「3か月で読む」などの期間を設定します。新潮文庫版の『カラマーゾフの兄弟』は、上・中・下の三分冊となっているので、ちょうど1か月で1冊読む計算になります。

★47 **フョードル・ミハイロヴィチ・ドストエフスキー**
(1821-1881) ロシア小説を代表する文豪。『罪と罰』を等発表。
(Constantin Shapiro)

欲を言えば、春夏秋冬の季節と1冊の読書期間をセットにすると、後々まで読書体験が記憶に残りやすくなります。

「2021年の夏は『カラマーゾフの兄弟』を読んで過ごしたな」
「あの年の年末年始は、家にこもって『悪霊』を読んでいたな」

という具合に、長編作品を読んだ思い出が、一つの季節の経験として残ります。
もっと言うと、季節にプラスして場所をからめると、ドストエフスキー体験の味わいが増します。

「30歳の冬は、一人暮らしのワンルームのコタツで、ひたすら『罪と罰』を読んでいたよな」
「あの年の春は、職場近くのカフェで『白痴』を読んでから出勤するのがルーティンだったな。転職したから、もう行かなくなったけど、あの店今もあるんだろうか。また行ってみようかな」

こんな感じで、時間の熟成効果によって読んだ時季と場所の記憶がしみじみと懐かしく感じられるようになります。

その場所に行ったら作品の世界観が呼び起こされ、当時の感情を再び体験できるに違いありません。

Method 52

読んだことのない定番本に触れてみる

好きな作家を一通り読んだら、**次は「自分がいかにも選びそうもない、けれども世の中で定評のある本」にチャレンジしてみましょう。**

実際に読んだ結果、「やっぱり自分には合わなかった」ということもあるでしょう。しかし、「まさか自分がこれにハマるとは思ってなかった」という本にもきっと出会えるはずです。

そうやって新しくハマった作家・本ができると、とたんに自分の世界が広がったような

感覚が得られます。世界が広がる感覚を増やしていけば、自分の芯は豊かなものになっていきます。

重要なのは、ふだん縁遠い本に手を出すためのきっかけづくりです。未知の本であっても、読む前からワクワクした感覚で手に取るのが理想です。

そこで**おすすめなのは、周囲の人にきっかけを与えてもらう方法です。**

例えば、社会人向けの読書会では、毎回、課題図書が指定され、指定された本についてディスカッションをする形式を取っているところがあります。

こういう会に参加すると、必然的に新しい本に触れるチャンスが得られます。

私も、学生の頃は月2回のペースで読書会を開催していました。当時は、インターネットもありませんから、チラシをクラスで配ったり、掲示板に貼ったりして参加者を募集していました。

そうすると毎回、初参加の人も含めて7～8人が集まります。みんなで本について2時間ほど話し合い、その後は居酒屋で交友を深めるのが恒例でした。

今でも、私は学生のために授業の中で読書会を開催する機会があります。前述した三島由紀夫の『金閣寺』などを課題図書にするのですが、みんなが楽しそうに語り合っている様子を見て、良いことをしたなあという満足感に浸っています。

読書会に参加するのが難しい人は、本のレビューを活用する方法があります。**本に関するレビューは、全員が一堂に会すわけではないけれど、同じ本を読んだ感想を残して一覧にした状態です。つまり、時間差で開催された読書会とも言えます。**

そう考えると、３００件のレビューがついている本は３００人規模の読書会であると解釈できます。

『欲望の現象学』（法政大学出版局）という本を書いた文芸批評家の**ルネ・ジラール**★48は、「欲望は他者の欲望の模倣である」と表現しました。要するに、他人が面白いと言っている本は、面白そうに見え、読みたくなってしまうということです。

この原理に従い、他者の読書欲に反応して、自分の読書欲に火を付ける。そうすると、学びがどんどん広がっていくのです。

★48 **ルネ・ジラール**
（1923–2015）フランスの文芸批評家。模倣理論・三角形的欲望理論・暴力理論などを考案。

Method 53

難しい本は解説書の力を借りる

自分の芯をつくる読書という意味では、古今東西の名著と呼ばれる古典作品は外せないジャンルです。

ただ、古典には難解な本も多く、数ページで挫折してしまうおそれがあります。そこで、難解な古典作品にチャレンジするときは、原典をわかりやすく解説してくれる解説書の力を借りましょう。

初めての場所を訪れるとき、私たちはグーグルマップなどでルートを検索して道順を調べるのが当たり前になっています。表示されたルートに従って移動すれば、問題なく目的地に到着できます。正確なルートを表示してくれるガイドを持つことで、道に迷う不安がなくなるわけです。

難解な本を読むときも同じです。

ガイドがいるかどうかは大きな違いであり、難解な本を読破したかったら、ガイドの力を借りるのが賢明です。

ここでガイドに相当するのが入門書や解説書です。中でも**おすすめなのが新書の入門書でしょう。有名な古典作品には、たいてい専門の研究者が執筆した解説書が刊行されています。**

一昔前は、新書で「入門書」というタイトルをつけておきながら、まるで入門者を寄せ付けないような小難しい本が交じっていました。

わかりやすく書くスキルがなかったのか、わかりやすく書くと見くびられると思ったのか、あるいはその両方なのか、うっかりそんな本を手に取ってしまったときには閉口したものです。

けれども今は違います。

現在は新書を扱う出版社が増え、入門書がたくさん刊行されるようになりました。こうした本の間で競争原理が働いたこともあり、入門書の体を成していない本は淘汰され、良質な本が読者の支持を集めるようになっています。

例えば、ドイツの哲学者・**ハイデガー**[★49]の『存在と時間』を翻訳書で読もうとすると、あ

★49 **マルティン・ハイデガー**
(1889–1976)『存在と時間』が1927年に刊行されるや、哲学界に深刻な衝撃をもたらした。
(Willy Pragher)

まりに難解で読み進めるには相当な意志を要します。

けれども、少し検索すると『ハイデガー哲学入門――『存在と時間』を読む』（仲正昌樹著、講談社現代新書）、『ハイデガー「存在と時間」入門』（轟孝夫著、講談社現代新書）といった解説書が見つかります。

こういったテキストを一読すれば、「ハイデガーが言っているのはなんとなくこういうことかな」と大枠をつかむことができるのです。

大学の先生に新書のテキストに相当する講義をしてもらう場合、2時間の授業を5回分くらいのボリュームになるかもしれません。それを264ページと448ページのテキストにまとめてあるのですから、新書がどれだけ効率的でありがたいツールなのかがわかるというものです。

新書で予備知識を得た上で、本編を読めば難しい古典も恐るるに足らず、です。

Method 54

偉大な宗教家の人格に学ぶ

古典を通じて偉大な人物の人格に触れることは、自分の芯をつくることにつながります。偉大な人物の言葉には、優れた人格が表れています。

例えば、「汝らの中で、本当に罪を犯したことのない者だけが石を持て」。これはイエス・キリストの有名な言葉です。いかにも偉大な宗教者の言葉だと思います。

――「汝らの仇を愛し、汝らを責むる者のために祈れ」

これは、「敵を愛し、敵のために祈れ。敵である相手も神の子なのだから、その者のために祈りを捧げなさい」という意味です。

『新約聖書』を読んでいると、こういう普通の人には言えない言葉が次から次へと出てきて、イエスの人格の素晴らしさに感動します。

仏教の創始者であるブッダも清廉な人格の持ち主です。

チュンダという鍛冶職人の青年がいて、ブッダと弟子の一行に料理を提供しました。ここでチュンダは意図せず傷んだ料理を出してしまいます。ブッダは激しい腹痛を覚え、食中毒の症状に苦しみます。

ブッダはこの食事を口にした結果、涅槃《ねはん》に入る（亡くなる）ことになるほどの症状だったので、チュンダは大変後悔します。しかし、ブッダは「なんでこんな食べ物を出したのか」などと責めることはありません。

それどころか「チュンダの供養してくれた食事には大きな功徳があった。チュンダを恨もうとする者がいたら、それをよく諭しなさい」と言い残すのです。

そのエピソードを聞くと、「自分にそんな言葉が言えるだろうか」と思わず唸ってしまいます。

鎌倉時代の仏教者であり、浄土真宗の宗祖である親鸞《しんらん》もさまざまな名言を残しています。私は『声に出して読みたい親鸞』（草思社）という本を執筆するにあたって、親鸞の名言を100個セレクトしたのですが、その過程で親鸞の発言が一貫しているのに気づきました。

一言でまとめると「南無阿弥陀仏を唱えなさい。すると救われる」ということを、さまざまに形を変えて口にしているのです。

親鸞の言葉に触れていると、親鸞の人格が自分の一部になったような気分になります。親鸞が自分の芯の一部になったら、誰でも心強く思うはずです。

親鸞と言えば、哲学者である西田幾多郎★50の随筆に私の好きなエピソードがあります。西田は次女を6歳、5女を1歳のときに失うなど、5人の子どもと妻に先立たれています。幼い娘を失った経験は、西田にとって非常に辛い出来事であり、「ああすればよかった」「もっとこうできたのに」と悔やむ気持ちを引きずっていました。

そんなとき、西田は親鸞の教えを思い起こし、「ああすればよかった」と考えること自体が思い上がりであったと気づきます。本当の意味で他力本願の心境に至った結果、思い上がりが消えて絶望を乗り越えられたというのです。

西田幾多郎ほどの大哲学者も、親鸞の人格に触れて、物事の受け取り方が変わったのです。やはり偉大な宗教家の人格には、人を変える不思議な力があるのです。

★50 西田幾多郎（にしだ・きたろう）（1870–1945）日本を代表する哲学者である。京都大学名誉教授。京都学派の創始者。

(philosophiejaponaise.blogspot.com)

Method 55

三人選んで生き方を真似てみる

前項の内容にも通じますが、**本を読んであこがれの人、尊敬する人のライフスタイルを真似てみるのも、自分の芯をつくる上で非常に有効な方法です。**

ビジネスパーソンにとって著名な経営者の仕事の仕方は大いに参考になるはずです。経営者には自ら本を出版している人も多いですし、著名な人となると名言を集めたような本や評伝も出版されています。

日本でビジネスパーソンのお手本とされるような経営者といえば、パナソニックの創業者である松下幸之助さんやホンダ創業者の本田宗一郎さん、ソニー創業者の井深大《いぶかまさる》さんなどが思い浮かびます。

それぞれ経営のスタイルは異なっており、好みが分かれるところです。

「家電メーカーの創業者ということで言えば、松下幸之助さんは確かにすごいけど、私はシャープの早川徳次さんを尊敬しています。本社の近くに保育所をつくったところも立派だと思います」

こんな意見を持つ人もいることでしょう。

とにかく好きな経営者を選んで本を読み、その人をモデルに生活してみます。モデルを一人に絞ってもよいのですが、三人くらい選んでおくとバランスが取れてちょうどよいかもしれません。

ただ、三人を選ぶときには、ある程度、スタイルの統一感が必要です。

例えば、「好きな戦国武将を三人挙げてください」と言われたとき、織田信長と豊臣秀吉と徳川家康を同時に挙げる人はいないはずです。

「天下統一を目指した」という点では似通っていますが、マネジメントや戦い方のスタイルにはそれぞれ違いがあります。

織田信長が好きな人は、徳川家康に何か物足りなさを感じているかもしれません。逆に、徳川家康が好きな人は信長について慎重さに欠けていると評価するかもしれません。

自分にとって親しみやすい理想的なスタイルの人を真似ると、取り組みに勢いがつきます。

「本田宗一郎さんだったら、こんなときにこうするだろう」

一方的な思い込みであっても、スタイルを模倣するだけで大胆な決断ができることもあるのです。

Method 56

本の著者とは近づきすぎない

最近はＳＮＳの普及によって、クリエーターと読者がつながりやすい環境ができています。

例えば、ある本を読んで「感動した」とツイッターに投稿したところ、そのツイートを目にした著者がリツイートして感謝の言葉を寄せてくれた。これは読者として嬉しい経験ですし、よいエピソードです。

私は、著者と読者の距離感はこのくらいまでがちょうどよいのではないかと考えています。お互いにネット上で会話するのはいい。でも、本を読んで感動したからといって、無理に直接会おうとしなくてもよいのではないかと思うのです。もちろん、講演会やサイン会に参加するのは別ですが。

以前、私は太宰治に直接会った人が書いた文章を読んだことがあります。その文章には、「小説を読んで面白いと思ったから、太宰治に手紙を書いて会いに行った。実際に会ってみたら、太宰治は案外退屈な人間だった」みたいな内容が書かれていました。

それを読んで「ちょっと太宰治が気の毒だな」と思いました。

小説が面白いからといって、素の太宰治にも面白い会話を期待するのは虫がよすぎます。お笑い芸人さんのコントライブが面白かったからといって、会場前で出待ちして「何か面白いことをしゃべってください」と言うのが失礼なのと同じことです。

あくまでも私たちは、作品を通して作家と出会っています。 間接的に出会っているからこそ平和が保たれているという側面があります。

例えば、生きているニーチェが自分の先生だったらと想像すると、ちょっとキツいだろうな、と思います。

実際、ニーチェには男女を問わずさまざまな対人トラブルを抱えていたエピソードが残されています。想像してみてください。

「わたしはただ、血をもって書かれたもののみを愛する」
「わたしはこの本で人類への最大の贈り物をした」

それぞれ『ツァラトゥストラ』『この人を見よ』から抜粋したニーチェの言葉です。こんなことを真顔で言う人が身近にいたらどうでしょう。目の前で、しかもあの迫力のある顔つきで、断定的な口調で言われるのです。きっと付き合いきれないと感じるはずです。けれども、本を通して読むとニーチェのどぎつさが中和され、面白がったり共感したりする余裕が出てきます。

ゴッホの作品も、美術館で絵画と向き合うからこそ感動を覚えるのです。例えば、ゴッホ本人と一緒の部屋で暮らさなければならないと想像してみてください。きっと関係が悪化して、生活が破たんするに違いありません。ゴッホとゴーギャンの共同生活のエピソードを知れば、ありありとイメージできます。作品を愛しているからといって、一緒に暮らしても相手に幻滅するのがオチなのです。

だいたい一流の芸術家ほど変わっている人間が多いようで、『モーツァルトの手紙』（岩波文庫）のような本を読むと、「こういう人と付き合うと苦労するだろうな」と思わせる記述をたびたび目にします。それでも、モーツァルトの音楽を聴くとやっぱり感動してしまいます。

本の良さは、どんな書き手とも一定の距離をもって接することができるところにあります。だから、私たちは純粋に作品だけを楽しめばよいのです。**作品と作者を同一視しないことが肝心です。**

Method 57

「教養とは引用力」である

3章でお話しした内容とも重なりますが、本を読んだらとにかく引用する。これが教養を深めるための重要なポイントです。

一言で言えば「教養とは引用力」です。

どんなにたくさん本を読んでも、1行も引用できないとしたら本当に教養が身に付いているのか疑わしい状態です。教養が身に付いているなら、読んだ本について引用できて当たり前なのです。

例えば、ロシアの文豪・ドストエフスキーの『罪と罰』を読んで、おおまかなあらすじは口にできるけど1行の引用もできないとしましょう。

これでは、よくある「あらすじ紹介本」を読んだ状態と一緒。『罪と罰』の文中の言葉を引用できると、初めてきちんと読んだ感が出てきます。

《いますぐ外へ行って、十字路に立ち、ひざまずいて、あなたがけがした大地に接吻《せっぷん》しなさい、それから世界中の人々に対して、四方に向っておじぎをして、大声で、〈わたしが殺しました!〉というのです。そしたら神さまがまたあなたに生命《いのち》を授けてくださるでしょう。行きますか? 行きますか?》(『罪と罰』工藤精一郎訳、新潮文庫)

これは私が若い頃、『罪と罰』を読んで印象に残った文章です。引用したセリフは、主人公のラスコーリニコフが初めて犯罪を告白した相手・ソーニャのセリフです。

ラスコーリニコフは、明晰な頭脳を持ちながらも貧困が理由で大学を除籍され、社会に恨みを持つ青年です。

彼は金貸しの老婆を殺すという計画を思いつき、それが社会正義のためでもあると自己正当化します。そして老婆だけでなく罪のない人物まで殺《あや》めてしまい、罪の意識にさいなまれます。

自殺を考えていたラスコーリニコフを思いとどまらせ、自首を促したのが売春婦として働くソーニャでした。

まず、「大地に接吻」というのが日本人にはない発想であり、インパクトのあるセリフです。そしてソーニャは続けてラスコーリニコフにこうも言います。

「ね、いっしょに苦しみを受けましょうね、いっしょに十字架をせおいましょうね！……」

当時の私は、「こんな人がいてくれたらシベリアの流刑地に送られても耐えられるのかもしれないな」などと思ったものです。

このような名著に出てくる名言・名セリフを何かの場面にひもづけて使っているうちに、私は何を見ても名言を引用できる体質になってしまいました。名づけて〝万有引用力〟。もちろん「万有引力」をもじったジョークです。

あるときなど、両面焼きの餃子を食べる際に「この餃子について、何かの名言を引用してください」と無茶ぶりをされ、「裏を見せ　表を見せて　散るもみじ」という良寛の句を引用したことがありました。

とにかく、**引用は本を読むときのモチベーションになります。**「この言葉を引用して人に話してやるぞ」と思いながら読むと、本に書いてある言葉が格段に身に付くようになります。

引用すると不思議な錯覚が起き、まるで自分が前から考えていた言葉だったかのように思えてきます。これを論文で行うと剽窃行為となりますが、個人が会話の中で使っている分には問題ありません。

できれば引用を面白がってくれる友だちに話すのが理想ですが、ブログやＳＮＳなどで発信するのもよいですね。

Method 58

本を読んだら必ずプレゼンしよう

読書体験をもっと充実させる上で、非常に有効な方法があります。それは**本を読んだら人にプレゼンする習慣をつけておくという方法です。**

例えば、面白いYouTubeの動画を見たら、家族や職場の同僚などに「○○の動画知ってる? 面白いよ」と話しかけることがあるでしょう。

相手も同じ動画を見ていたら、共感して盛り上がることができます。見ていない場合は、どこが面白いのかを簡潔にプレゼンすることになるはずです。

「元野球選手の○○さんがゲストを呼んでトークするんだけど、裏話が満載で飽きさせないんだよ」

「きれいな人がダンスをするのが、絶妙に下手で笑いが止まらないんだよ」

このように、相手が興味を持って見てくれるように動画の良さを解説するわけです。「面白かったから絶対に見て！」だけでは相手は動いてくれません。相手の心を動かすには、自分の頭の中を整理して、効果的な表現や言葉づかいを考える必要があります。このプレゼンを上達させるには、とにかく経験を積んで慣れていくのが一番です。

読書でも同じです。**人に話すという前提で本を読み、読み終えたら周囲の人に内容を紹介してみましょう。**

人にプレゼンしているうちに、本に書いてあった内容をあれこれ思い出すこともあります。「読んだときには理解していなかったけど、こういう発見のある本だったんだな」と気づき、さらに思考が深まったりします。

「どうしてその主人公はそんな行動をとったの？」などと相手から質問をされた場合は、「人が興味を持つポイントはそこなんだな。自分の説明はそこが足りなかった」といった修正ポイントが見つかります。

ポイントを修正すれば、別の人に話すときにはもっと上手に説明できるようになります。うまく説明できれば、「もっと本を読んで人に教えてあげよう」というモチベーションも湧いてきます。

私は、20年くらい前の大学の卒業生からいまだにメールをもらうことがあります。その卒業生は、半年に一度くらいのペースで思い出したかのように「齋藤先生、○○という本を読みました。□□で面白かったですよ」というメールを送ってくるのです。

私は「じゃあ読んでみるよ」と返信し、読んだ後には必ず感想を送っています。メールで本についてやりとりするだけですが、なかなか悪くない関係だと感じています。

いずれにしても、**大事なのはどんどん本の紹介をすること。**実際に読む、読まないは相手の問題なので気にする必要はありません。**本の紹介をするだけで、すでに自分にはプラスの効果がもたらされているのです。**

Method 59

好きな作家の文体を真似る

最後に、読書の応用編として、作家・思想家の文体を真似てみる方法をご紹介します。

私は、大学の授業で学生に手塚富雄さん訳の『ツァラトゥストラ』(中公文庫プレミアム)を読んでもらい、「来週の授業までにニーチェの文体を真似てエッセイを書いてください」とお願いしたことがあります。次の週、提出されたエッセイを見たら、全員がちゃんとニーチェっぽいエッセイを書いていました。

学生たちが真似ているのは原書のドイツ語ではなく、日本語で訳された文章です。しかし、そこはさすがのニーチェ。思想が濃すぎるせいか、手塚さんの日本語訳もやっぱりニーチェ独特の文章に仕上がっています。だから、文体を真似るだけでニーチェの思考に近づくことができるのです。

実際に文体を真似てみると、ニーチェの人格が自分に乗り移ったような感覚が得られます。そこで「やっぱりニーチェって面白い」と感じる人もいるでしょうし、「ニーチェって苦手だな」と感じる人もいるはずです。

好きになった人は、他の作品も読み込んでいくのをおすすめします。苦手な人は別の作家の文体を真似てみましょう。

文体を真似ることは自分のスタイルを確立することに通じています。

私には、かつてテニスのコーチをしていた時期があります。

コーチをする際にも、大事なのは生徒のプレースタイルを確立することです。テニスのプレースタイルは、ベースライン（コートの一番後方の線）あたりでラリーをするか、あるいはサーブアンドボレー（サーブを打った後にネットに詰めてボレーやスマッシュを狙う）を多用するか、に大きく分かれます。

卓球でも、前陣速攻（台から離れずにスピーディな打ち合いで勝負する）や、カットマン（相手からのボールに強い下回転をかけ、粘り強く相手のミスを待つ）というプレースタイルの違いがあります。

こういったプレースタイルを確立する際には、目標とする選手のスタイルを模倣するのが一番です。自分の筋力や体格、性格と親和性のあるスタイルを模倣すると、身に付きやすいのです。

自分の思考スタイルを確立するにあたっては、まずはさまざまな本に接して自分に合う文体を見つけることが有効です。文体を模倣していくうちに「これだ」という著者・文体が必ず見つかるはずです。

次の5章では「仕事」という切り口から、自分の芯をつくっていくための学びについて考えてみたいと思います。

第5章

仕事で自分を成長させる

Method 60

チームへの貢献を意識する

今、私たちが生活している世の中では、「GAFA」と呼ばれるグーグル（Google）、アップル（Apple）、フェイスブック（Facebook）、アマゾン（Amazon）の巨大IT企業が市場の独占を進めています。

GAFA4社は日本の税収をしのぐ莫大な利益を上げており、4社が世界中のデータや富を吸い上げる状況は**「ニューモノポリー（新独占）」**★51ともいわれています。

少数の超天才がプラットフォームをつくって世界の富をかき集め、残りの人たちはそのプラットフォームを利用して細々と商売をするしかない。そんな状況を見るにつけ「いったいどうしてこんな状況になってしまったんだろう」と思います。

こうした富の独占とは正反対だったのが、江戸時代の町人の世界です。『江戸職人図聚《ずしゅう》』（三谷一馬著、中公文庫）という本を読むと、江戸時代には職人さんの仕事が非常に多岐に分か

★51 **ニューモノポリー**（新独占）
ニューモノポリーは、独占しても価格を引き上げず、あるいは無料で利用できるサービスが多い。結果、資本力をテコに排他的だった従来のモノポリーとは異なる形態で一部の企業が市場を独占する。

れていて、桶一つをつくるにあたっても、たくさんの職人さんが関わっていたことがわかります。

実は、浮世絵も葛飾北斎や歌川広重といった浮世絵師が一人で全部の作業を手がけていたわけではありません。絵師が描いた絵を彫り込む彫師、それを版画に仕上げる摺師という技術者、そして企画から制作・販売などに関わる版元といった人たちによる共同作業で成立していた芸術なのです。

こんなふうに、いろいろな人が細かい手仕事を結集させて、分業体制で経済を回している町人の社会に私は魅力を感じます。

日本の浮世絵に関心を持ったゴッホも、江戸時代の協働的なスタイルにあこがれを抱き、『ゴッホの手紙』（エミル・ベルナール編、硲伊之助訳、岩波文庫）の中で、日本人のような職人仲間をつくりたいとの希望を書き綴っています。

今は、働き方改革によりチームで成果を出す働き方に注目が集まっています。仕事にはそれぞれの役割があり、役割を果たすことによってプロジェクトが成立します。

私が所属している大学でも、新しい部署を新設するときには、規約の作成や、データの収集、書類の準備や理事への説明など、細々とした工程を経る必要があります。そんなときに、**みんなが得意な分野で役割分担をすると、仕事の達成感は倍増します。**

仕事のスキルを学ぶときは、「チームへの貢献」という意識を持つことが重要です。チームの中で、不可欠な存在として認めてもらえれば、自分に自信が持てるようになります。

自分の芯を持っている人は、周囲から頼りにされている人でもあるのです。

この章では、仕事と学びの関係について、私が思うところをお話ししていきます。

Method 61
仕事は速く進めることが鉄則

そもそも**現代の組織で「有能な人」と称されるのは、第一に仕事が速くて効率的に物事を進める人。言い換えれば、他人の時間を奪わない人です。**

人生でお金以上に大事なものは時間です。人生は時間そのものであり、不毛な時間を浪費するのは苦痛以外の何ものでもありません。

「せちがらい」「ゆとりがない」という意見もあるでしょうが、仕事が遅い人はそれだけで「いい人」とは言えない、と私は考えています。

一緒に仕事をするとき、同じ仕事を10分で終わらせる人と、1時間かける人がいたら、私は圧倒的に前者を「いい人認定」します。その人と四六時中生活をともにしているわけではないので、性格の良し悪しはそれほど問題になりません。

前述したように、働き方改革の流れの中で、今、**日本の職場の働き方はチームで生産性を高める方向へと急速にシフトしつつあります。**

これまでは、能力があり長時間残業ができる人に仕事を集中させることで成果を出すのが会社の常識でした。しかし、残業に法的な規制がかけられたことで、チーム全員が協力し合って成果を出すことが求められているからです。

チームでの仕事は、職場の全員が高速で（サッカーの）ボール回しをしている状況にたとえられます。全員がムダなくボールを回せば鮮やかなゴールを決めることができますが、一人がもたつくと、全体の動きを停滞させてしまいます。

ですから、**自分の仕事を速め、なおかつ周りの人の仕事を効率化させるアシストを心掛けるスタンスが重要となります。**

具体例を挙げると、私の周りで働いている明治大学の職員さんの中には、職場の効率化を意識した仕事ができる方がたくさんいます。

中でもAさんは、会議資料を非常に合理的に作成する能力に優れていました。スムーズに参加者の合意形成ができるようなアシストが行き届いているのです。

大学では、形式が重んじられる大きな会議が行われることがあります。そんな会議で私が議長をするときに「次は資料7の○○をご覧ください」といった進行上の発言や、確認事項のチェックボックスまで事前に準備してくれるのです。

準備された資料に従うと、ミスをしないだけでなく会議が淡々と進み、時間の短縮にもつながります。

重要な会議であっても、私がそこに十分な時間を注げるとは限りません。ですから、会議に詳しい職員さんのアシストがあれば、私の労力が一気に軽減されます。会議をするたびに私は感動と感謝の気持ちでいっぱいになりました。

残念なことに、Aさんはしばらくして他部署に異動してしまいました。しかし、最後まで素晴らしい仕事のスキルを発揮し、後任の方向けに会議の進行手順をフォーマット化して残してくれました。

Aさんが残したフォーマットのおかげで、一部の固有名詞などを入れ替えるだけで、どんな会議にも対応できるようになったのです。

若い人に目指してほしいのは、こういう組織全体の省エネにつながる仕事をすることです。それを念頭に置いて学んでいく必要があるのです。

Method 62

組織に貢献するためにスキルを身に付ける

職場では、特定のスキルを身に付けただけで自分の価値が高まるわけではありません。スキルに価値が生じるのは、前述したAさんのように組織に貢献したときです。組織に貢献した結果、必要な人材として認められるわけです。

ですから、「自分はこの分野で貢献できる」というポイントを見つけたら、進んで行動することが大切です。

例えば、同じ部署の中にイラストが描ける人がいると結構重宝すると思います。美術大学を卒業しているとか美術部に在籍していたというキャリアがなくても、普通の人よりイラストが上手いくらいのレベルでよいのです。

そういう人がプレゼン資料にイラストを添えてくれたりすると、格段に資料の魅力がアップします。

私は過去に大学のゼミでTシャツをつくった経験があります。学生たちと話し合い、ドストエフスキーのセリフをプリントすることに決まりました。

ただ、やはりTシャツには気の利いたイラストが欲しいところ。プロに依頼する予算もないし、かといってフリー素材を使うのも味気ない……。途方に暮れかけたところ、一人の学生が手を挙げてくれました。

「あのー。僕、あまり上手くないけど、イラスト描けますよ」

渡りに船とばかりに彼に依頼したら、なかなか味のあるイラストを仕上げてくれました。ゼミ生も皆大満足です。彼は、そのときこう語っていました。

「僕はゼミの授業であまり存在感を発揮できていないと常々感じていたので、あのときは何か貢献したいという思いで立候補したんです」

その後10年近く経ち、たまたま彼と再会する機会があり、当時のTシャツの話で盛り上がりました。彼は「やっぱりあのときイラストを描いて良かったです」と嬉しそうにしていました。

組織に貢献する行動をすると、結果的にスキルが身に付くこともあります。

私が勤務する大学では、一人の先生が「皆さん大変でしょうし、私は他の分野ではあまり貢献できませんから、学生との一対一の面談は私が一手に引き受けます」と言い出したことがありました。

面談といっても、相手にするのは相当な数の学生です。いくらなんでも負担が大きいのではと思いましたが、その先生は嫌な顔一つせず、一人ひとりの学生に対して親身な相談をしていました。

そうやって経験を重ねていくうちにノウハウが蓄積したのでしょう。しばらくすると学生たちの間で「あの先生に相談すれば、確実に的確なアドバイスをしてくれる」という評価が定着していました。こうなると、もうその先生は組織に欠かせない人材となるわけです。

組織に貢献するという意識でスキルを学び、チャンスがあれば手を挙げて立候補する。この姿勢を持つことで、自分の価値を高めることができるのです。

Method 63

専門性を身に付ける

組織に貢献するためのスキルは「専門性」という言葉でも表現できます。

専門性というと何か特別な資格を所持しているとか、海外勤務の経験があるとか、そういったイメージで理解されがちです。

しかし、**組織で求められる「専門性」とは「この分野についてはこの人に聞いてみよう」と思われるレベルを意味しています。**

例えば、２０２０年は新型コロナウイルス感染拡大の影響を受けて、在宅勤務、ウェブ会議の導入が全国の職場で加速しました。

明治大学でも、緊急事態宣言が発令された２０２０年４月、５月からオンライン授業を実施することが決まりました。

当初は、あらかじめ収録した授業動画をウェブ上にアップし、学生にアクセスしてもらう方式も検討されました。

けれども、この方式について調べてみると「一方的に講義を聞かされても退屈」「学生が参加する余地がなく、教育効果が薄い」「データが重くなりアップロードに時間がかかる」といった難点が浮き彫りになりました。

そこで、双方向のやりとりが可能なウェブ会議システムが適しているという結論になり、最終的にＺｏｏｍの活用が決まりました。

当時、私を含めた多くの教員はＺｏｏｍというツールに不慣れで、スムーズにオンライン授業を行うにはほど遠い状況でした。とにかく早くＺｏｏｍをマスターしなければ、授業が成立しませんから死活問題です。

そのとき、一人の同僚の先生が次のような素晴らしい提案をしてくださいました。

「私はある程度Ｚｏｏｍの扱いを学んでいますので、皆さんのために勉強会を開催したいと思います。３回実施しますので、ご都合のつく時間に参加してください」

その先生のおかげで、私たちの部署の教員はすぐにＺｏｏｍの操作ができるようになりました。大いに感謝したのは言うまでもありません。

私たちの大学には、事務方の職員さんの中にも専門性を持つ人はいます。

例えば、Ｓさんは書類のチェックに非常に長《た》けており、どんな小さなミスでも見逃さずに見つけるという能力の持ち主。教授会などに提出する重要な書類は、必ずＳさんのチェックを受けるというのが職場のルールとなっていました。

ところが残念なことに、あるとき人事異動でＳさんが別部署に異動することになってしまいました。その知らせを耳にしたとき、私たちはいかにＳさんの専門性に頼っていたか、Ｓさんがいなくなるだけでどれだけ困るのかを痛感しました。

このＳさんのように、職場になくてはならない存在になることは、組織で働く人にとっての一つの目標と言えるでしょう。職場で必要とされるために、私たちは専門性を身に付ける努力をすべきなのです。

Method 64

仕事力がつくバディ学び

仕事のスキルを身に付けるときには、**二人一組のユニットをつくると非常に密度の濃い学びが可能となります。名づけて「バディ学び」です。**

32ページでお話ししたように、私自身、中学時代の友だちと高校、大学、大学院に進んでもずっと一緒に勉強を続けてきました。

バディ学びのメリットは、なんといってもモチベーションの維持につながる点です。例えば、私は友だちと「英語の問題集を2週間で終わらせよう」などと約束してから取り組むようにしていました。そうすると、「向こうもやっているのだからサボれない」という意識が働くからです。

藤子不二雄Ⓐさんの『まんが道』(小学館)は、バディ学びの素晴らしさを伝えてくれる自伝的な作品です。

藤子不二雄という名前は『ドラえもん』や『パーマン』などの人気漫画で知られる二人の漫画家の共同ペンネーム。二人は富山県の小学校で出会い、漫画を通じて意気投合。漫画雑誌の発売を楽しみにしながら過ごし、発売されたら二人でむさぼるように読み、真似をしながら投稿を繰り返し、見事プロデビューを果たします。

上京してからは手塚治虫さんなどの先輩漫画家たちから刺激を受けつつ、一緒に努力して人気作品を世に送り出すようになっていきます。

この作品で私が特に感動したのは、眠いときも、くじけそうになったときにも、二人がお互いの存在を励みにしながら乗り越えていくところです。

「あいつが頑張っているんだから、自分もやらなきゃ」

そういう気持ちの張りが二人を支えている様子が、痛いほど伝わってくるのです。

人には、ただ仲間がいるという事実が力になるときがあります。バディが近くにいなくても、SNSでつながっているだけの顔も知らない関係でもよいのです。

「〇日までにこれを勉強しよう」と決めて、お互いに勉強した成果を報告し合う。そうするだけでも心の張りが保たれ、学びのモチベーションが維持されます。
また、勉強仲間がいれば、孤独な気持ちがやわらぎ精神的な安定を得ることもできるはずです。

Method 65

チーム全員で学んでいく

仕事を通じて成長するにあたっては、**「チーム全員で課題を乗り越える」という体験も大切です。**

チームが経験を積み、どんどんチームがまとまっていく姿は、スポーツなどでしばしば目にします。

例えば、甲子園に出場したチームが1戦ごとに力をつけ、1回戦と準決勝とでは見違えるような素晴らしいプレーをすることがあります。

サッカーを見ていても、前半と後半でガラリと戦い方を変え、劣勢を見事にはね返すチームがあります。おそらくハーフタイム中に監督が戦術の変更を決断し、それを選手たちが忠実に実行したからでしょう。

前半で経験した失敗を反省し、短時間でプレーを修正して結果を出す。そんなチームを見ていると、監督も選手たちも素晴らしいと感動します。

私は、こういったチームの変化を見ることをスポーツ観戦の楽しみの一つにしています。

「初戦で苦戦した後に、どんなミーティングをして次の試合に臨んだのだろう」
「ハーフタイムに一体何が起こったんだろう」

などと想像するのが面白いのです。

仕事においても、当初の想定とは違う状況に直面して、対応を迫られる局面があるはずです。

私の場合、本の刊行直前になって似たようなタイトルの本がすでに発売されている事実が発覚した経験があります。タイトルを変えるとなると、本文中のキーワードも全部変更しなければなりません。編集者と練りに練って考えたタイトルだっただけに、一時は絶望的な気持ちになりました。

しかし、気を取り直して話し合いを重ね、最終的に「これだ！」という案を導き出しました。結果的に、当初の案よりも手ごたえのあるタイトルとなったのです。

こういったトラブルや課題をチームで乗り越えると、仕事を通じて学んだという実感が高まります。

課題に一人で対応しようとすると、ただただ辛く感じられますが、チームで取り組むときには心強い仲間がいます。お互いに助け合って問題解決をしていくうちに、個人もチームも大きく成長できるのです。

Method 66

与えられた役割の中で学ぶ

組織で仕事をしていると、さまざまな役割を与えられます。中には、不本意に感じる役割、「できれば避けたいな」と思う役割もあることでしょう。

ただ、すぐに好き嫌いを持ち出すのではなく、「仕事はすべて学びである」と考えてほしいのです。**仕事を学びとして捉えると、どんな仕事からも新しい発見が得られます。学びを積み重ねていくうちに、必要なスキルが一通り身に付き、チームの一員になれるのです。**

チームの一員になれない人、端的に言うと「職場の嫌われ者」に共通しているのは、みんながやらなければならない仕事を敬遠する点です。

チームの一員になれない人は、みんなが順番に受け持っている役割をあっさり拒絶します。学校で働く先生の中にも、「絶対に担任をやりたくない」「部活動には関わりたくない」「入試関連の仕事はやりたくない」と主張する先生がごくまれに存在します。

その分、周りの先生の負担が増すのですから、嫌われるのも当然です。

先生が生徒に「好きなことを追求しよう」と教えるのはよいことですし、大切な教えでもあります。けれども、「自分が好きなこと以外にも学びの可能性はある」「役割を果たしてこそ学ぶことがある」と伝えるのも先生の重要な役割ではないでしょうか。

私が一緒に仕事をしたある編集者は、あるとき営業部に異動になり、その後、別の部署に異動になりました。

もともと編集の仕事を志望しヒット作も手がけていたので、さぞかし気落ちしているだろうと思いきや、本人はいたって前向きに取り組んでいました。いつも楽しそうに仕事をする姿を見て、「立派な人だな」と感心していたところ、やはり大変な勢いで出世をしていました。

会社にはいろいろな役割があって、ときには「ベンチ」のようなポジションに置かれる機会もあるでしょう。

監督の立場として、ベンチメンバーになったとたんに急に暗くなる選手がいたらどうでしょうか。きっと使いづらい選手だと思うはずです。監督はベンチにいても卑屈にならずに声を出せる選手を起用したいと考えるものです。

ですから、**不遇な境遇にあってもけっしてめげずに、そのポジションで学びを見出してほしいと思います。努力は必ず人が見ています。**

Method 67

組織内で生き残るための方法を学ぶ

職場で仕事をしていく上で、働き方のベクトルは大きく二つに分かれます。プレーヤーとして生きるか、マネージャーとして生きるか、の二つです。

基本的には、会社員として働く場合、キャリアの前半では現場の最前線でプレーヤーとして仕事をすることになります。営業職で言えば、実際にセールス業務を行い、定められた個人の営業目標を達成するための努力が求められるわけです。

そして一定のキャリアを積むと、管理職として後進の指導にあたるポジションが与えられます。

ここで興味深いのは、**多くの会社ではプレーヤーとして成果を出す能力と、管理者としてチームで成果を出す能力とが混同されているところです。**

その証拠に、営業部で優秀な成績を収めている人をセールスマネージャーに昇進させるような人事異動が行われがちです。

けれども**本来、プレーヤーとしての能力と、マネージャーとしての能力はまったくの別物です。**

スポーツの世界を見れば一目瞭然です。例えば、プロ野球の世界では現役時代に一流選手として鳴らした人が、監督に就任後、結果を出せずに辞任に追い込まれるケースがしばしば見られます。

一方で、現役時代は無名だった人がコーチに就任してから頭角を現し、監督に就任して好成績を収めることがあります。

サッカー界では、イングランド・プレミアリーグでトッテナム・ホットスパーFCの監督（'20～'21シーズン時）を務めるジョゼ・モウリーニョ氏がまさに「指導者デビュー」で大成した代表例と言えます。

モウリーニョはイングランド、イタリア、スペインのリーグ戦と国内カップ戦、およびチャンピオンズリーグで二度チームを優勝に導くなど、世界的にも名将として知られています。

彼はもともと2部リーグのサッカー選手としてプレーしていたのですが、目立った活躍がないまま引退。体育教師として働きながら、サッカーの指導にも携わっていたといいます。彼に関する著作を読むと、大学でスポーツ科学を学び、イギリスでコーチングコースに参加するなど、指導者として成功するために熱心に学んでいたことがわかります。名監督のもとで得た知識と経験を蓄積し、膨大な量のノートを取り、指導者として成長していく。モウリーニョの学びの過程を知ると、深い感動を覚えます。

読者の中にも、プレーヤーとしては一番手になれなくても、マネージャーとしての才能を抱えている人が一定数いるはずです。**マネジメントに興味がある人は、早いうちから本を読むなどして勉強するのをおすすめします。**

マネジメントを学ぶと、俯瞰した視点からチームを見る習慣が身に付きます。そして、いざ管理職に就いたときに、チームとして成果を出せるようになるのです。

Method 68

リーダーになると学びがある

今の時代は「社長になりたい」という人がどんどん減っているようです。それどころか「管理職になりたくない」と答える若者が増えているとも聞きます。

「社長になりたい」という意欲は、単純な権力志向というより、「もっと大きな仕事をしてみたい」というチャレンジ精神から生まれるものです。

福沢諭吉は『学問のすゝめ』の中で、仕事について次のように言及しています。

世の中にむずかしき仕事もあり、やすき仕事もあり。そのむずかしき仕事をする者を身分重き人と名づけ、やすき仕事をする者を身分軽き人という。

「やすき仕事」は、誰にでもできる仕事を意味していて、現代で言えばAI（人工知能）やロボットに奪われてしまう仕事です。一方「むずかしき仕事」は、簡単にはできない仕事であり、それをするためには学問が必要だと主張しています。

「むずかしき仕事」を引き受けるのが社長だとすると、キャリアを重ねて社長になりたいと考えるのは、自然な感覚ではないでしょうか。

特に、本書を読んでいる読者には、自らリーダーを引き受ける気概を持っていただきたいと思います。また、自分があえてリーダーを目指していなくても、人からリーダーに推されたときは、天命だと思って受け入れることも大事です。

どんな役職でも、その地位に就いて初めて学べることがあります。それは社長に限らず、チームリーダーでも課長でも同じです。

リーダーになることで初めて体験できる出来事もあるでしょうし、広がる人間関係もあります。ですから、リーダーになることをおそれないでほしいのです。

Method 69

人に教えることで学びを深める

職場で有用な人になるには、ただスキルを学ぶだけでなく、人に教える側に回る姿勢も肝心です。前述したZｏｏｍの勉強会を主催した先生は、まさにそんな有用な人材の好例です。

現代の職場には、20代、30代の人にも上司や先輩に対して教える側に立つチャンスがたくさんあります。特に、ＩＣＴ（情報通信技術）の分野では、若い人のほうが明らかに知識が豊富です。

「サブスク」といっても何のことかわからない世代と、当たり前のものとして受け入れている世代とでは感覚が違います。ＩＣＴの用語はたくさんあるので、知っている人と知らない人の知識量には大きな差があります。

逆に言えば、いち早く有益なスキルを知った若い社員が、そのスキルを50代、60代の人

たちとシェアするのが日常化するだけで、職場は時代の変化に柔軟に対応できるようになるはずです。

ここでＩＣＴのスキルを不慣れな人に教えるときのコツを一つご紹介しましょう。自分にとっての当たり前が他人にとっては当たり前ではないことを知り、誰にでもわかるような解説を心掛けることです。

例えば、過去に私がある人からパソコンソフトの操作を教えてもらっているとき、「スイッチを切ってください」と指示を受けたことがありました。

それを聞いて混乱しました。画面上にあるスイッチをクリックして切るのか、パソコンのモニターのスイッチを物理的に指で押して切るのか、どちらなのかわからなかったのです。

教える側にしてみれば、「この場合、画面をクリックするに決まっている」というのが当然すぎて、私の混乱は想像を絶していたと思います。

けれども、パソコンにそこまで精通していない人にとっては、「画面をクリックして○○をオフにしてください」などと懇切丁寧に説明してもらいたいのが本音です。

よく電化製品のマニュアルなどを読むと、最初のほうのページに「コンセントにプラグを差し込みましょう」などと記述されているのを目にします。

「ここまで教えないとダメなの？」と思うかもしれませんが、工程の漏れが一つでもあるとマニュアルは成立しません。

マニュアルのように「誰にでも再現できる」を意識すると、わかりやすくて間違いのない説明ができるようになります。人に教えるチャンスがあれば、ぜひ積極的に実践してみてください。

Method 70

いい情報をシェアする

スキルを教えるのと同じように、知識を一つ得たら周りの人たちとシェアする姿勢も大切です。

例えば、職場ではハラスメントに関する講習をチームの代表者一人が受講するといったシチュエーションがあります。

このとき代表者には、学んだ情報をシェアする役割が与えられるわけですが、講習でもらった資料をコピーし、「ハラスメント講習の資料をお渡ししますので、各自チェックしておいてください」で終わらせてしまう人がいます。

しかし、資料をコピーして渡すだけでは、肝心の情報がほとんど横に広がりません。

チーム内で情報をシェアしたいなら、講習の資料からポイントを拾い出し、図解を加え、A4一枚に整理したものを用意すべきです。講習の内容には自分のチームと無関係な情報もあるからです。

自作の資料をミーティングの時間などに配り、「この部署に関係する注意点は、ここところです」などと話せば、1時間の講習なら5分程度で共有できます。

慣れてくれば、講習を受けている最中にも共有用の資料が作成できるようになります。

講習の内容を短時間で要約するスキルは、チーム内で非常に重宝されます。鍛えておいて損はありません。

大学の授業でも、学生たちが分担して学んだ情報をシェアする機会はしばしばあります。

例えば、国語の教職課程の授業では、『落窪物語』『源氏物語』『枕草子』『徒然草』などの作品ごとに担当者を割り振り、それぞれのグループに5分の時間を与えて発表してもらうケースがあります。この取り組みを行うと、1回の授業で古典の作品を一気に学ぶことができます。

面白いのは、学生たちがそれぞれ学んだことをアレンジしてアウトプットしてくれるところです。

例えば、『徒然草』の発表を行ったグループは、ニュース番組仕立ての発表を行ってくれました。

「速報です。仁和寺の法師が、頭から壺をかぶったところ抜けなくなったというニュースが入ってきました」

聞いている側は、爆笑しながら『徒然草』のエッセンスを理解します。アレンジする側にも、受け取り側にとっても理想的な学びになっています。

前述した講習内容の要約も、「連載漫画にしてみる」「動画にまとめる」など、アレンジの余地はたくさんあります。ぜひ自分の得意分野を生かして、共有しやすい手段を選んではいかがでしょうか。

Method 71

学んだら人前で実践する

仕事に関するスキルを学んだときには、積極的に実践の機会を得ましょう。

書店には、文書の書き方、プレゼンの仕方、エクセルの時短ワザなどを解説した本がたくさん並んでいます。

こういった本を読んだら、本書の冒頭でお話ししたように、とりあえず真似してみることが大切です。特に、職場の皆の前で披露するのがベストです。

私はＮＨＫ・Ｅテレで放送されている『にほんごであそぼ』という子ども向け番組の総合指導を行っています。番組では定期的に企画会議を行うのですが、あるときから特定のスタッフが司会進行を行うようになりました。

番組のプロデューサーによると、そのスタッフは大学でファシリテーションのスキルを学んだそうで、せっかくなので実践の機会を与えたのだといいます。

ファシリテーションとは、積極的な議論を促し、問題解決が得られるようサポートをすること。もともとはアメリカで体験学習の手法として開発され、現在は日本でもビジネス分野で広く活用されるようになっています。

そのスタッフが会議の司会に就いて以降、事前の資料はしっかりしたものが用意されるようになりました。明らかに話の脱線が減り、議論がテキパキと進むようになり、議題が取り残されることもなく時間内に終わるようになったのです。

このエピソードのポイントは、スタッフがファシリテーションのスキルを自らアピールしたこと。そして、上司であるプロデューサーが実践の場を与えたことです。

私も、大学では学生の才能をいち早く見つけ、実践の場を与えるように意識しています。国語の教師を目指すクラスでは、あるとき一人だけ圧倒的に朗読が上手な学生の存在に気づきました。

話を聞くと、その学生は声優の事務所に所属し、本格的なトレーニングを受けているといいます。そこで早速、文学作品をセレクトして毎週朗読してもらう機会をつくりました。皆に披露するチャンスを得たことで、その学生の朗読はますます上達していきました。

またあるときには「最近ウクレレを買いました」と報告する学生がいたので、毎週1分間ウクレレで自作の曲を弾くというミッションを与えました。

すると、やはりみるみる演奏が上達し、教育実習でウクレレを弾いたら生徒から大好評だったと報告してくれました。

このように、**スキルを身に付けたら人前で実践する、のセットで取り組むのがポイントです。**上達のスピードは一気に加速するはずです。

Method 72

無茶ぶりには全力で応える

職場の人から何か「無茶ぶり」をされたときには、躊躇《ちゅうちょ》せずにとにかくやってみる。この積極性が新たな学びにつながります。

ここでいう「無茶ぶり」とは、理不尽に残業を押しつけられるとか、飲み会に付き合わされるといったことではありません。

例えば、大事なセレモニーで急にスピーチの役割を振られるとか、大事なプレゼンを任されるといった「少しだけ荷が重い仕事を任される」状況です。私はフジテレビ系の『全力！脱力タイムズ』というバラエティ番組にレギュラー出演をしているのですが、これまで何度となくとんでもない無茶ぶりをされてきました。ある収録時には、私が歌を歌い、隣で犯罪心理学者の出口保行《でぐちやすゆき》先生がダンスをするという演出が指示されました。

私たちは歌もダンスも素人そのものであり、とても全国放送に堪えるようなレベルとは思えません。けれども、私たちのパートは全体の段取りにしっかり組み込まれていて、拒否するのは不可能です。腹をくくった私は、とりあえず指定された曲をＹｏｕＴｕｂｅで繰り返し聴き、練習して本番当日を迎えました。

するとここで、またしても無茶ぶりが襲いかかります。事前に聞かされた曲ではなく、本番では**瑛人**★52さんのヒット曲である『香水』を歌えというのです。

一瞬頭がくらくらしましたが、もう歌うしかありません。開き直って歌い上げたところ、出口先生のダンスが良かったのもあって、みんなが笑ってくれました。

『全力！脱力タイムズ』では、コントやモノマネを無茶ぶりされる機会もしばしばです。

★52 **瑛人**（えいと）
(1997–) シンガーソングライター。2019年4月に配信限定で発表された『香水』が大ヒット。

「プロの芸人でもない自分が、どうして全国放送でこんな芸をすることになっているんだろう」と、ときどき真顔で考えてしまいます。

結論として言えるのは、あれこれ悩むよりも、とにかく素直に乗ってしまったほうがラクということです。恥をかくにしても、一瞬だけです。

『徒然草』にも、「字が下手だから書くのをやめておこうというのはよくない。どんどん書いたほうが上達する」と説いている文章があります。

恥ずかしいと思っていても、現状は何一つ変わりません。だったら恥をかくのをおそれず、無茶ぶりには正面からチャレンジするのが得策なのです。

Method 73

トラブルも学びのチャンスにしよう

私たちが毎日取り組んでいる仕事も、**「この仕事を通じて自分を向上させよう」**という意

識を持つだけで、貴重な学びの体験にできます。

例えば、仕事でミスをしてしまったら、上司や同僚、取引先などに謝罪をする必要が生じるでしょう。

謝罪をするのは決して愉快なことではありません。強いストレスを感じ、できれば避けて通りたいと思うのが普通です。

ただ、そうやってしぶしぶ謝罪をしても自分の心が傷つくだけですし、許してもらったところで自分の成長には大してつながりません。

ところが、謝罪という困難な状況を一つのチャレンジとして考え、学びのチャンスと捉えたならどうでしょう。「謝罪がうまくいけば社会人として成長できるかもしれない」と思えば、謝罪は学びのチャンスとなり得ます。

『謝罪の王様』という宮藤官九郎さん脚本、阿部サダヲさん主演の映画があります。謝罪を生業《なりわい》とする主人公が、さまざまな事件に直面し、持ち前の謝罪テクニックで乗り越えていくというコメディ作品です。

この作品の公開を知ったとき、私は「謝罪をテーマに映画をつくるなんて、発想が面白い」と思い、さっそく劇場に足を運びました。作品は予想に違《たが》わず面白く、謝罪が立派にエンターテインメントとして成立していました。

映画はあくまでもフィクションですが、ストレスフルな物事を前向きなチャレンジに変える思考法は、私たちにもきっと応用できるはずです。

例えば、日本では謝罪をするときに虎屋の羊羹《ようかん》を手みやげに持参するのが、一種の「お作法」とされています。

では、より大きなミスを犯して、もはや虎屋の羊羹では通用しなさそうな状況に陥ったら、いったい何を手みやげにすべきなのか。

もちろん、この問いには唯一絶対の正解はありません。しかし、**困難なトラブルにチャレンジし、自分で考えた方法で乗り越えれば、その経験は自分を支える貴重な糧となります。つまり、トラブルを学びのチャンスにするかどうかで、人としての厚みがまったく違うものになるのです。**

さて、次の最終章では、本書の締めくくりとして、自分の好きなもの＝偏愛するものを追求していく学びについて解説していきます。

第6章

「偏愛するもの」で自分の世界をつくる

Method 74

学んでいることは生きていることの証明

もしかすると、今の若い世代には「学ぶことは幸せなこと」「学びこそが人生の楽しみ」という感覚に乏しい人が多いのかもしれません。

しかし、ほんの数十年前の日本では、学生は人生をかけて猛勉強をするのが当たり前でした。試験があるから、就職に有利になるからではなく、ただよりよく生きるために教養を身に付けようと奮闘していたのです。

『三太郎の日記』(阿部次郎著、角川選書)、『愛と認識との出発』(倉田百三著、岩波文庫)、『きけ わだつみのこえ』(日本戦没学生記念会編、岩波文庫)といった、戦前戦中の若者が書いた手記を読むと、当時の学生がいかに高い知的水準にあったのかがよくわかります。

当時の学生たちの誰もが英語やドイツ語の高い語学力を持ち、当たり前のように哲学書を読み議論を繰り返していました。

大学受験で浪人生活を送っていた頃の私は、こうした昔のエリートたちの本を読んでは、自分自身を重ね合わせていました。**時代錯誤であるのは百も承知でしたが、自分の向学心を支えるロールモデルを探していたのです。**

中でも特に影響を受けたのは、『わがいのち月明に燃ゆ』（林尹夫著、筑摩書房）という本でした。学徒兵として太平洋戦争に従軍した、旧制三校（現京都大学）の学生の日記をもとにした手記です。

林さんは、ドイツの作家である**トーマス・マン**★53を愛読する勉強熱心な学生であり、将来に明るい希望を持つ青年でした。

彼の日記を読んでいると、読書量の多さとすさまじいハイペースに圧倒されます。しかも、海外の本は英語やフランス語、ドイツ語の原書で読んでいます。

しかし、当時の日本は戦争に突き進んでいた時代でした。やがて彼にも学徒兵としての召集がかかります。

海軍で航空隊に配属された林さんは、入隊後も本を読み続けるのですが、乗っていた偵察機が撃墜され、戦死をしてしまうのです。

★53 **パウル・トーマス・マン**
(1875-1955)『ヴェニスに死す』や『魔の山』を発表。1929年にノーベル文学賞を受賞。
(Das Bundesarchiv)

「自分と同じ年なのに、こんなにもハイレベルな勉強をしている」
「自分と同じ年なのに、死ぬとわかっている戦争で死んでしまった」

この二つの事実は、私にとって大きな衝撃でした。自分は彼のように真剣に勉強したいと考えていたのか、これからどんな人生を送るべきなのか。そんなことを自問自答したのを記憶しています。

『わがいのち月明に燃ゆ』を読んでから、私は学ぶことに真剣に向き合うようになりました。人生の途中で学問を絶たれてしまった人たちの魂を鎮魂するという使命感を自覚したからです。

今と昔では時代が違いますから「昔の学生を真似しましょう」と言っても無理があるのはわかっています。ただ、若い人たちに思うのは純粋に学ぶことを楽しんでほしいということです。昔の本を読むと、狂おしいほどの向学心が少しは理解できると思うのです。

Method 75

研究感覚を身に付ける

自分の芯をつくる上では、「何かを研究する」という学びの時間をつくることが望ましいと言えます。

私は大学の新入生に対して「何かテーマを決めて研究をして、2週間後に発表してください」と課題を出すことがあります。

「研究」といっても、卒論レベルのアウトプットを期待しているわけではありません。「好きなアニメを研究してもいいですか?」といった質問も寄せられますが、もちろんOKです。**研究のテーマも大事ですが、まずは「研究する」という感覚を身に付けることが最も重要です。**

学生たちは、大学に入学するまで受験勉強にどっぷりハマってきたせいか、**「知識を身に付けること」と「研究」を混同しています。**

例えば、テレビでクイズ番組を見ていて、難しい問題もスラスラ答えることができる。これは「研究の成果」というのとはちょっと違います。

知識が豊富で難しいクイズに答えられるのはよいことです。ただ、クイズに1000問正解したからといって自分の芯を持っているとは言えないでしょう。

「アルゼンチンの首都はどこですか？」という問題に対して「ブエノスアイレス」と正解できても、多少知識があったというだけです。クイズに答えられることは、マークシート方式の受験に合格するのと似たようなものです。

しかし、「アルゼンチンの近代化」「アルゼンチンにおけるタンゴの役割」「アルゼンチンとサッカーの関係」「フォークランド紛争がアルゼンチンに与えたダメージ」「アルゼンチンでの**マラドーナ**[★54]の存在感」といったテーマを選んで学んでいくと、研究っぽさが出てきます。私は学生たちに、研究感覚を持つ方向へといち早くシフトしてほしいのです。

大学や企業に属する研究者は、常勤のスタッフとして雇用され、給料や研究費が保障されるから研究ができていると言われれば確かにその通りです。しかし、研究者の根本にあるのは「自分はこの分野を研究している」という自負心にほかなりません。

研究者は、研究によって自分の芯を形成しています。特定の組織に属していなくても、

★54 ディエゴ・アルマンド・マラドーナ
(1960–2020) 元アルゼンチン代表のサッカー選手。FCバルセロナやSSCナポリなどでプレー。20世紀を代表するサッカー選手。

自分は研究者であるという強い思いがあれば、人は自分の芯を持つことができるのです。

本物の研究者は、損得を度外視して、自分のテーマに対して寝食を忘れるレベルでのめり込んでいます。私は若い人たちに、こういった沼にハマるような感覚を身に付けてほしいのです。

Method 76

自分だけの研究対象を持とう

私にとって**研究する行為は、世の中の面白さを知るための手段**です。

「この世界って奥深くて楽しいものなんだな」
「この楽しさを知っているだけで生きてる価値があるな」

取り組んだ結果、こう思えるようになるのが研究という営みなのです。

例えば、盆栽について深く学んでいる人は、盆栽というものがいかに面白いものであるかを知っています。

『マツコの知らない世界』（ＴＢＳテレビ系）というテレビ番組があります。特定の世界にハマっている人がマツコ・デラックスさんにプレゼンするスタイルのバラエティ番組です。ある放送回では、盆栽にハマっている東山拓仁さん（当時、中学生）が登場していました。彼は「さいたま市大宮盆栽美術館」で盆栽を見たのをきっかけに盆栽に興味を持つようになり、自分でも盆栽を育てるようになったのだといいます。

さらに「盆栽の神様」とも称される、世界的な盆栽作家・木村正彦さんを師匠として、盆栽への学びを深めているのだと語っていました。

彼が滔々《とうとう》と語る様子からは、あふれんばかりの盆栽愛が伝わってきます。それを見ていて、微笑ましく好ましい印象を持ちました。

私は盆栽に詳しくないですし、盆栽は「なんとなく面白そうな世界だな」と思う程度の存在です。

一方で、東山さんは盆栽を学ぶことで、盆栽のある世界（盆栽ワールド）を楽しんでいます。

きっと「この世界に盆栽があって良かったな」と感じているはずです。

そうやって、**何か自分の偏愛するものを追求すれば、自分のワールドを築くことができます。**

自分のワールドは、他の誰にも真似できない、自分独自の世界になり得ます。自分独自の世界を持つことは、自分の芯を持つことでもあり、豊かで価値ある人生を送っていくための大きな要素となるのです。

Method 77

ただの「ファン」を超越する

「自分という人間には価値がある」

「自分という人間をもっと知ってもらいたい」

そう思うのは自由ですが、自分を押しつけようとしても人の心をつかむことはできません。

例えば、自分の性格について疑問形で話す人がいます。

「ほら、私って、お腹が空くとすぐにイライラする人じゃないですか〜。だから、毎回しっかり食事をとることを第一に考えているんですよね〜」

こんな言い方をすると「あなたのことなんか知らないんだけど……」と反感を買うのがオチです。一方的に私語りをされると、ちょっとうっとうしく感じられるのです。

自己紹介は、自分のことを説明するものだと思われがちですが、実は違います。自己紹介は、むしろ自分のことを説明しないほうがいいのです。自分についてあれこれ説明するのではなく、「自分が好きなこと」を伝えたほうが、よほど関心を得られやすくなるものです。

これは初対面の自己紹介に限ったことではありません。

何か好きなものを突き詰めて研究すると、単なるいちファンであることを超越して、好きなものが自分自身の一部となります。それを周囲に発表するから、共感を得られやすくなるという構図があるのです。

先日、アルゼンチンのサッカーの英雄であるディエゴ・マラドーナ氏が亡くなったとき、私はマラドーナの追悼特集を組んだ雑誌を読みました。

その中で、一人の女性ライターがマラドーナについて寄稿している文章が目にとまりました。彼女はあまりにも南米のサッカーが好きで、南米に移住してライター活動をしているのだと書いています。そこまで南米サッカーにのめり込んでいる人がマラドーナについて書くと、説得力が出てきます。もっと言えば、その女性ライターの生き方にも興味が湧いてきます。

マラドーナと言えば、彼が亡くなった直後のサッカー中継を思い出します。その試合で[★55]**FCバルセロナ**のスタープレーヤーである[★56]**リオネル・メッシ**が、いつになく貪欲に点を取りに行っていました。

アシストはできても、なかなかゴールを決めることができない。……と思っていたら後半27分にスーパーゴール。メッシがユニフォームを脱ぐと、その下にはマラドーナがかつて所属していたチームのレアなユニフォームが隠されていたのです。

彼はユニフォームを脱いだことでイエローカードを提示されてしまったのですが、警告

★55 FCバルセロナ
1899年に創設され、リーグ優勝26回を誇るスペインの名門サッカークラブ。愛称はバルサ。

★56 リオネル・アンドレス・メッシ・クッシッティーニ
(1987–) アルゼンチン代表のサッカー選手。FCバルセロナ所属。FIFA最優秀選手賞6回受賞。

を受けてでもマラドーナにゴールを捧げる、という思いが伝わってきました。

メッシも、もともとはマラドーナというスターにあこがれるサッカー少年でした。大好きなスターにあこがれてサッカーに取り組んだ結果、世界的なプレーヤーとして認知されるに至ったわけです。

つまり、あこがれはすべての出発点であり、あこがれたものを追いかけていくうちに自分の芯がつくられるということです。

Method 78

自分だけの切り口を見つける

さて、もう少し研究の取り組み方について深掘りしていきましょう。**研究に必要なのは自分独自の切り口です。**

例えば、『源氏物語』が大好きだからといって、ただ『源氏物語』を要約して紹介したのでは、研究としては成立しません。

研究を自称するなら「『源氏物語』における劣等感（コンプレックス）」「『源氏物語』に登場する植物」「『源氏物語』と色彩」といったユニークな切り口を見つけたいところです。

実際に『源氏物語』に出てくる花を通して、物語の世界観に触れた『源氏物語の花』（青木登著、けやき出版）という本があります。いかにも、オリジナルな研究の成果といった感じがします。


切り口を見つけるときには、自分史と重ね合わせたり、個人的な体験とリンクさせたりするとオリジナリティを生み出しやすくなります。


私の教え子の一人は、アニメの主題歌に着目し、1960年代から現在におけるアニメの主題歌について研究をしていました。その研究発表では、「もともとアニメの内容とリンクしていたはずの主題歌の歌詞は、しだいにCMソングを意識したものへと変化していき、再びアニメの内容に即したものへと回帰していった」といった考察を緻密に展開していきました。

「アニメ研究にそれだけエネルギーを注げるなら、もっと他に力を入れるべきところがあるのでは?」

そういった疑問はアニメに対する偏見です。

大学の先生の中には、マイナーな文学作品を研究している人もいます。世界的に見れば、マイナーな文学作品よりも日本のアニメのほうがはるかに有名であり、アニメ主題歌の研究は文化的に普遍性が高いと言えるからです。

ともあれ**大切なのは、自分にとって切実な研究であるかどうか。対象とする分野がメジャーかマイナーかは二の次です。**

ちなみに私は若いときに呼吸の研究をしていました。当時、呼吸を研究テーマに選ぶ研究者はいませんでしたし、誰も評価してくれないことはわかっていました。しかし、評価されなくても私は呼吸の研究に嬉々として取り組んでいました。

むしろ、誰も真似しないオリジナルな研究をすることに心地よさを感じていました。たとえるなら、自分一人の鉱脈を掘り当て、ツルハシでせっせと掘り進めているような気分です。

だから、読者の皆さんには、ぜひ自分だけの鉱脈を見つけてほしいのです。

Method 79

複数の研究対象を持つ

アイデンティティはたった一つの要素ではなく、いくつかの要素が組み合わさって形成されているものです。だから、研究する対象も一つに絞らなくても大丈夫です。

むしろ**一つのテーマに全体重をかけるのは危険です。**

例えば、仕事一辺倒の人ほど、何かのきっかけで職を失うと、人生に絶望してしまうようなことがあります。

一方、仕事だけでなく家庭やサークル活動、ボランティアなど、複数の拠り所を持っている人はどうでしょう。たとえ一つの要素を失っても絶望せずに再起を図ることができるはずです。

そもそも研究をしていると、時間が経つにつれて飽きてしまったりモチベーションが低下したりする可能性もあります。その点、研究対象をいくつか持っていれば、飽きた対象から別の対象へと軸足を移すことができます。

複数の研究テーマを楽しんでいる人として思い浮かぶ人の一人が、お笑いコンビ・アンガールズの田中卓志さんです。

田中さんは、広島大学工学部出身の理系男子。在学中に建築の構造を学んでいた経験を生かし、建築関係の番組にもたびたび出演しています。もともと建築業界に就職志望だったそうで、コメントには熱い建築愛があふれています。

そうかと思うと、田中さんは別の番組で「コケの愛好家」として登場していました。どうやらコケ愛好家の世界で、田中さんはそこそこ知られた存在だというのです。

私は、コケについて語る田中さんの姿をテレビで見て、感心してしまいました。

芸人さんが何かの趣味をアピールして露出の機会を増やすのはよくあることであり、真っ当な努力であるとも思います。

ただ、「料理」や「グルメ」などいかにもテレビで取り上げてもらえそうな対象ではなく、「コケ」を選ぶというセンスに脱帽してしまうのです。

おそらく、コケに詳しいという理由でテレビに出演できるチャンスはほとんどないと思います。だから田中さんは、露出を増やすためにコケを研究しているわけではなさそうです。その「好きだからやっている」という感じが純粋で素敵に見えるのです。

「建築」や「コケ」といった複数の要素が、束になって田中さんの芯を形成しています。こういったイメージでいくつかの研究対象を並立させるのが理想的です。

ちょうど細い糸をより合わせて、横綱が締めている綱をつくっていくようなイメージです。一度綱ができれば、そうそう簡単には断ち切れなくなります。

Method 80

二つの要素を組み合わせる

自分の研究に個性を出すには、何かと何かを組み合わせる（アレンジする）という方法も有効です。

最近のビジネスシーンでは「イノベーション」という言葉を頻繁に聞くようになりました。イノベーションは、日本語では「刷新」「社会に価値をもたらす新しい技術やアイデア」といった意味合いで使われています。

しかし、実はもともと「新しい結合」というニュアンスの言葉でした。イノベーションという概念を最初に提唱した、経済学者の★57**ヨーゼフ・シュンペーター**は、初期の著書の中で「新結合（ニューコンビネーション）」という言葉を使っています。

つまり、本来イノベーションは「既存のアイデアを結合させることによって、新しい価値を生み出す」という概念として生み出されたのです。

世の中を見渡してみると、イノベーティブな発明の多くが、二つのものを掛け合わせて生み出されていることに気づきます。

例えば、「写真」と「シール」という既存の商品を組み合わせて誕生したのが、「プリクラ」という大ヒット商品でした。

「アレンジ思考でも立派なイノベーションにつながる」

そう言われると、ちょっと肩に入った力が抜ける感覚が得られると思います。

例えばラーメン好きな人がラーメン研究をする場合、「映画に出てくるラーメン」（映画×

★57 ヨーゼフ・アロイス・シュンペーター
（1883-1950）オーストリア・ハンガリー帝国（後のチェコ）の経済学者。経済成長の創案者。
（Volkswirtschaftliches Institut, Universität Freiburg, Freiburg im Breisgau, Germany）

ラーメン）「ラーメンと日本の景気」（ラーメン×景気）という具合に二つの要素を掛け合わせてみます。自分にとって興味のある、身近な要素を二つ掛け合わせるというのがポイントです。

私の教え子にも、「色彩」と「アイドルグループのイメージカラー」を組み合わせて詳細な分析を行った学生がいました。

また別の学生は、アロマ検定1級の資格を生かし、「実生活で感じる匂い」を「アロマの知識」に基づいて発表してくれました。これなどもユニークな掛け合わせの一例と言えます。

要素を掛け合わせるだけで、楽しいだけでなく、自分独自の研究になります。そして、研究をしている時間が「自分らしい過ごし方だ」と感じられるようになるのです。

Method 81

「〇〇主義者」になってはいけない

研究の対象として、一人の作家や思想家を取り上げるのは悪くありません。ただし、**一人の作家、思想家を研究するときには注意点があります。それは著者を絶対視・神格化しすぎないことです。**

私が大学生だった頃は、**マルクス**★58の思想を熱心に学ぶ人が多く、その人たちはマルクス主義者を自称していました。

これはマルクスに限ったことではないのですが、「主義者」が危険なのは、それ以外の考え方を排除してしまうところにあります。

マルクス主義者たちには、「社会に必要な理論を学んでいるのは自分たちだけだ」という思い込みが強く、マルクスを知らない人を捕まえては攻撃するような傾向がありました。

それだけならともかく、当時は同じマルクス主義者同士でお互いに糾弾しあうような光

★58 **カール・マルクス**
(1818-1883) ドイツの哲学者、思想家、経済学者、革命家。科学的社会主義の創始者。
(John Jabez Edwin Paisley Mayall)

景も見られました。

主義者たちには「好きなことを学んでいる」という陽気さがないだけでなく、好きなことを学んでいるのに常に不機嫌な顔をしていたのです。

私自身、学生時代に『ユダヤ人問題によせて』『経済学・哲学草稿』『共産党宣言』『資本論』など、マルクスの著作を一通り読み込んだ経験があります。マルクスの主張はおおよそ理解しているつもりですし、素晴らしい考え方の持ち主だとも思っています。

けれども、マルクス主義者のように頑なにマルクスに心酔して、他の考え方を排除するのはいかがなものかと思っていました。

しかも、実際にマルクス主義者の人たちと対話をしても、いつも自分の考えが否定され、生き方を難詰され、重苦しい気分になるだけでした。そこで、マルクス主義者とは一定の距離をとるようにしていました。

私が追究していたのは、もっと開かれた知のあり方です。自由にいろいろな考え方に接して、楽しく仲間と語り合うことです。

ですから、マルクスを読むのと同時に、**マックス・ヴェーバー**★59、**デュルケーム**★60などの著作も読み、一つの主義主張に凝り固まらないように気を付けていました。

★59 マックス・ヴェーバー
(1864–1920) ドイツの社会学者・経済学者。資本主義の発展や近代社会の特質を明らかにした。
(PD-US)

★60 エミール・デュルケーム
(1858–1917) フランスの社会学者。社会を個人に優越するものとして客観主義的社会学を確立した。
http://www.marxists.org/glossary/people/d/pics/durkheim.jpg

皆さんが、いろいろな本に触れることで、特定の著者に肩入れしたり、意見に強く賛同したりすることは当然あり得るでしょう。ただし、それ以外の考え方にも価値はあるということを忘れないようにしてほしいのです。

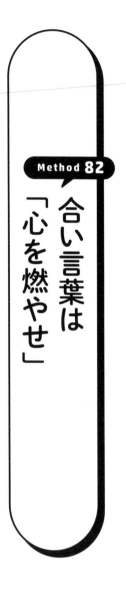

Method 82
合い言葉は「心を燃やせ」

2020年は『鬼滅の刃』という漫画作品、およびアニメ、映画が驚異的な大ヒットを記録した年でした。

映画『劇場版「鬼滅の刃」無限列車編』では、煉獄《れんごく》杏寿郎《きょうじゅろう》という登場人物が重要な役どころとして活躍します。煉獄さんは、「鬼殺隊」という組織で最も階級の高い「柱」と呼ばれる剣士の一人。明るく快活な性格で、一つひとつの物事に全力で向き合う姿が非常に印象的です。

例えば、彼はお弁当を食べるときに、一口ごとに「うまい！　うまい！」と声に出します。全部食べ終わって「美味しかった」ではなく、一口ごとに感動している。この一つのシーンを切り取っても、真っ直ぐな彼の生き方がよく伝わってきます。

物語の中で、彼は、鬼がやってきているにもかかわらず、鬼の能力によって眠りに落ちるというピンチを迎えます。

ギリギリのところで目を覚ました煉獄は、こう叫びます。

「よもやよもやだ　柱として不甲斐なし‼　穴があったら　入りたい‼」

これも全力で生きている人ならではの言葉という感じがします。

この煉獄を育てたお母さんも立派な人物であり、親子の会話のシーンも非常に感動的です。お母さんは、彼に尋ねます。

「なぜ自分が強く生まれたのかわかりますか」

素直に「わかりません！」と答える彼に、お母さんが言います。

「弱き人を助けるためです　弱き人を助けることは強く生まれた者の責務です」

お母さんは、その使命を全うして生きるように教え諭すのです。私はこの映画を観ていて、日本が戦争をしていた時代を思い出しました。

『いしぶみ』（広島テレビ放送編、ポプラポケット文庫）という本があります。広島に原爆が投下されたとき、不幸にも全滅してしまった旧制広島県立広島第二中学校1年生の記録です。犠牲者の一人である山下明治君は、死の間際、お母さんからかけられた「お母さんもいっしょに行くからね」の言葉に対して「あとからでいいよ」と答えます。そして、「鹿児島のおじいさんになんといいましょうか？」と問われて、一言「りっぱに」とも口にしています。

「りっぱに」というのは、今の若い人には理解しにくい言葉だと思います。おじいさんに向かって「立派になってください」というのでは、もちろんありません。これは「立派に死にました」と伝えてほしいという意思表示です。

自分は爆弾にやられて命を失うけれども、立派に戦った結果である。子どもながらに「みんなを守る」という責務を自覚していたことが強く伝わってきます。

私は、戦争に反対していますし、絶対に避けなければいけないとも考えています。決してこの話を美化したいわけでもありません。

ただ、煉獄さんのような精神の品格、燃えるような真っ直ぐな気持ちが多くの人に共鳴された結果、「無限列車編」が歴代興行収入一位に輝いたのではないかと思います。

せっかくこの世に生を受けているのですから、私は読者の皆さんに、心を燃やす情熱的な人生を目指してほしいと願っています。

何かを研究するときにも、「それを学ぶと心が燃えるか」を考えることが大切です。合い言葉は「心を燃やせ」です。

あとがき

人間としての芯をつくる。

これは幼い頃からの私のミッションでした。なぜこのようなミッションを心に抱くようになったのかは不思議ですが、小学生時代には意識していました。

心の芯をつくるためには、まずは体に芯をつくる。これもなんとなく意識していました。

体の芯とはどこなのか。それは、へそです。もっと言えば臍下丹田《せいかたんでん》、つまりへそ下の丹田が体の中心だとやがてわかってきました。

へその下の丹田を中心にしていかに体を柔らかく運用できるか。それを課題として数十年身体技法に取り組んできました。思い返せば、漫画『巨人の星』で、へそ打法と言うものがありました。星一徹が息子の飛雄馬《ひゅうま》の思い上がりを正すために、高校のチームメートたちにへそを中心とした打法を教えたのです。へそを中心として打つことでどんなに速い球でも打ち返すことができる。これを読んだときに私はへその重要性を学びました。

何をするにしても、へそ下を意識する。そうすると体に中心感覚が生まれてきます。中心ができるとそれ以外の力を抜くことができます。武蔵の言う惣体自由《そうたいやわらか》を目標としました。

芯があるから自由になれる。これが私のトレーニング課題であり、楽しみでした。

現実を変えていくには行動が必要です。行動するには勇気が必要です。その勇気はどこから生まれるか。それは臍下丹田だと考えました。

へその下に手を当ててゆっくりと息を吐く。吐く息を長くする呼吸法とセットで臍下丹田を意識する。そうして勇気の感覚を養うことをトレーニングしてきました。

勇気と言うと心の問題のように捉えられかもしれませんが私にとっては体がベースでした。学ぶことにとって、腰や腹は大切です。腰と腹を意識し、しっかりと腹に落ちているかどうかをチェックする。これが深い学びの基準です。

身体感覚を学びのチェックに使っていく。これはぜひお勧めしたいポイントです。今この学びはしっかりと自分の身に付いているのか。しっかり腑に落ちているか。肝に銘じているか。こうしたチェックポイントを持つことによって、学びの質は確実に変わってきます。

体で学ぶ。これが私の学習論の基本です。

この本をお読みの方は、身体のチェックポイントを意識しながら読んでいただけるとうれしいです。宮沢賢治も、体に刻み込む勉強こそが本当の勉強なんだと詩の中で言っています。

体が喜び、体に染み込む学び。これがあれば人生が祝祭となっているはずです。

齋藤 孝

齋藤孝（さいとう たかし）

1960年静岡県生まれ。東京大学法学部卒業。同大学大学院教育学研究科博士課程を経て、明治大学文学部教授。専門は教育学、身体論、コミュニケーション論。ベストセラー著作家、文化人として多くのメディアに登場。『声に出して読みたい日本語』（草思社文庫、毎日出版文化賞特別賞）、『大人の語彙力ノート』（SBクリエイティブ）など著書多数

構　　成　渡辺稔大
装　　幀　小口翔平、三沢稜（株式会社tobufune）
本文デザイン　村奈諒佳
製　　版　株式会社明昌堂
校　　正　株式会社円水社
編　　集　大森春樹（株式会社世界文化ブックス）

今からでも遅くない
自分の芯をつくる学び

発行日　2021年5月10日　初版第1刷発行

著　　者　齋藤孝
発 行 者　竹間勉
発　　行　株式会社世界文化ブックス
発行・発売　株式会社世界文化社
〒102-8195 東京都千代田区九段北4-2-29
電話 03（3262）5118（編集部）
電話 03（3262）5115（販売部）
印刷・製本　大日本印刷株式会社

ISBN978-4-418-21406-8